中國美術全集

岩畫版畫

全國百佳圖書出版單位

時代出版傳媒股份有限公司

黃 山 書 社

☆ **國家出版基金項目**

圖書在版編目（CIP）數據

中國美術全集・岩畫版畫/金維諾總主編；張亞莎、邢軍卷主編.—合肥：黃山書社，2010.6

ISBN 978-7-5461-1367-8

I.①中⋯ II.①金⋯ ②張⋯ ③邢⋯ III.①美術—作品綜合集—中國—古代②崖畫—美術考古—中國—圖集 ③版畫—美術考古—中國—圖集 IV.①J121②K879.4

中國版本圖書館CIP數據核字（2010）第111978號

中國美術全集・岩畫版畫

總 主 編：金維諾	卷 主 編：張亞莎 邢軍	責任印製：李曉明
責任編輯：宋啓發	封面設計：蠹魚閣	責任校對：汪國梁

出版發行：時代出版傳媒股份有限公司(http://www.press-mart.com)

黃山書社(http://www.hsbook.cn)

（合肥市翡翠路1118號出版傳媒廣場7層　郵編：230071　電話：3533762）

經　　銷：新華書店

印　　刷：北京雅昌彩色印刷有限公司

開本：889×1194　1/16　　印張：23.875　　字數：55千字　　圖片：372幅
版次：2010年12月第1版　　印次：2010年12月第1次印刷
書　號：ISBN 978-7-5461-1367-8　　　　　　　　定價：600圓

凡　例

一、编　排

1.本書所選作品範圍爲中國人創作的、反映中國文化的美術品，也收録了少量外國人創作的，在中外文化交流史上具有代表性的美術品，如唐代外來金銀器、清代傳教士郎世寧的繪畫作品等。

2.根據美術品的表現形式和質地，共分爲二十餘類，合爲卷軸畫、殿堂壁畫、墓室壁畫、石窟寺壁畫、畫像石畫像磚、年畫、岩畫版畫、竹木骨牙角雕琺琅器、石窟寺雕塑、宗教雕塑、墓葬及其他雕塑、書法、篆刻、青銅器、陶瓷器、漆器家具、玉器、金銀器玻璃器、紡織品、建築等二十卷，五十册。另有總目録一册。

3.各卷前均有綜述性的序言，使讀者對相應類别美術品的起源、發展、鼎盛和衰落過程有一個較爲全面、宏觀的瞭解。

4.作品按時代先後排列。卷軸畫、書法和篆刻卷中的署名作品，按作者生年先後排列，佚名的一律置于同時期署名作品之後。摹本所放位置隨原作時間。

5.一些作品可以歸屬不同的分類，需要根據其特點、規模等情況有所取捨和側重，一般不重複收録。如雕塑卷中不收録玉器、金銀器、瓷器。當然，青銅器、陶器中有少數作品，歷來被視爲古代雕塑中的精品（如青銅器中的象尊、陶器中的人形罐等），則酌予兼收。

6.爲便于讀者瞭解大型美術品的全貌，墓室壁畫、紡織品等類别中部分作品增加了反映全貌或局部的示意圖。

二、時間問題

7.所選美術品的時間跨度爲新石器時代至公元1911年清王朝滅亡（建築類適當下延）。

8.遼、北宋、西夏、金、南宋等幾個政權的存在時間有相互重叠的情況，排列順序依各政權建國時間的先後。

9.新疆、西藏、雲南等邊疆地區的美術品，不能確知所屬王朝的（如新疆早期石窟寺），以公元紀年表示，可以確知其所屬王朝（如麴氏高昌、回鶻高昌、南詔國、大理國、高句麗、渤海國等）的，則將其列入相應的時間段中。

10.對于存在時間很短的過渡性政權，如新莽、南明、太平天國等，其間產生的作品亦列入相應的時間段中，政權名作爲作品時間注明。

11.某些政權（如先周、蒙古汗國、後金等）建國前的本民族作品，則按時間先後置于所立國作品序列中，如蒙古汗國的美術品放在元朝。

三、圖版説明

12.文字采用規範的繁體字。

13.對所選美術作品一般衹作客觀性的介紹，不作主觀性較强的評述。

14.所介紹内容包括所屬年代、外觀尺寸、形制特徵、内容簡介、現藏地等項，出土的作品儘量注明出土地點。由于資料缺乏或難以考索，部分作品的上述各項無法全部注明，則暫付闕如，以待知者。

四、目録及附録

15.爲了方便讀者查閱，目録與索引合并排印，在每一行中依次提供頁碼、作品名稱、所屬時間、出土發現地/作者、現藏地等信息。

16.爲體現美術作品發展的時空概念，每卷附有時代年表，個別卷附有分布圖，如石窟寺分布圖、墓室壁畫分布圖等。

五、其　他

17.古代地名一般附注對應的當代地名。當代地名的録入，以中華人民共和國國務院批準的2008年底全國縣級以上行政區劃爲依據。

18.古代作者生卒年、籍貫、履歷等情況，或有不同的説法，本書擇善而從，不作考辨。

中國美術全集總目

中國岩畫

一、岩畫與岩畫的發現

1、什麼是岩畫？

岩畫，顧名思義，指岩石上的圖畫。

一般而言，岩畫是指原始人或遠古的早期族群，有意識而又成規模地鑿刻在岩面上的圖像，通常它們距離今天非常遙遠，擁有上千年甚至上萬年的歷史。岩畫屬于人類早期的文化活動，帶有明確的原始思維特徵與蒙昧時期的藝術色彩，因而被列入原始藝術的範疇，這是岩畫的第一個特點。

岩畫的第二個特點是它所涉及學科的寬泛性。岩畫，從字面上看，屬于繪畫（或刻繪）領域，在中國基本上被歸類于藝術學範疇（由于它的原始特性，又主要歸類于原始藝術範疇）。誠然，就藝術表現的本質而言，蒙昧的原始藝術與文明社會的藝術也許并沒有質的區別，但就藝術作品的實際功能看，原始藝術的創作初衷，至少與文明社會的藝術創作活動有相當的不同，它的大部分功能，或是用于傳達某種信息，或是巫術或儀軌的直接活動載體，其圖形或符號則更多具有生存哲學的意義。因此，原始藝術的概念與内涵，遠比文明社會的藝術作品更爲豐富和厚重，更多"集體無意識"的深層積澱，它屬于藝術，又大大超出了藝術的範疇。也正因爲如此，原始藝術比文明社會的藝術學，更多涉及到原始社會學、原始思維、心理學（認識發生學）、考古學、人類學、神話學等多學科的知識，其内容也就更爲豐富和寬泛。

岩畫的第三個特點是它的世界性。岩畫不僅具有原始性，還具有世界性，它們分布得如此廣泛，幾乎遍布世界的各個角落。從整個世界都廣泛存在着這樣一種藝術形式看，人類似乎在他們早期的一個特定時期（遠古時期）裏，有將他們所見、所思、所盼的内容刻畫在岩石上的習俗。當然，祇是到了20世紀80年代以後，國際岩畫組織的專家們才明確意識到，岩畫實際上是一種世界性的具有普遍意義的文化現象，它絕不是某一個國家或某一個地區所獨有的文化遺産。研究者發現，除了熱帶雨林地區很少發現岩畫外，岩畫幾乎是相當平均地分布在世界的各大洲。迄今爲止，世界上發現的岩畫圖像已經超過了五千萬個，而整個世界範圍内，圖像相對密集出現的地區（1千平方公里範圍之内有超過一萬個圖像的地區）也已經有一百五十個記録在案①。研究者還發現，非洲、澳洲、美洲、亞洲乃至歐洲，不同大陸上的不同地理區域，無論是高山峻嶺或是沿海平地，草原戈壁或是沙漠和綠洲，都廣泛保存早期岩畫的遺存；更有甚者，這些不同人種的岩畫，它們在内容題材上和表現形式上，相似性程度很高，有時甚至共性的東西超過了個性。有研究者提出，這一現象表明整個世界範圍内，在其相當古老的一段時期内，可能流行着一種圖畫式的原始語言，這種原始語言固然也會有"方言"，但絕不至于像現代語言這樣彼此無法溝通，它們是一種具有普遍性的語言，能够爲所有地區的不同人種或民族所理解②。

通過比較可信的科學測定方法，可知最早的岩畫出現于距今四萬年之前，這類屬于舊石器時期晚期的岩畫，數量雖然不多，但在非洲、歐洲和澳洲都有發現。當然，相當數量的岩畫還是新石器時代或銅石并用時代的産物，金屬時期的岩畫數量也不在少數。岩畫製作的年代，根據地區與族群社會發展的階段而千差萬别，但究其本質，又似乎有某種共同的特點，那就是製作岩畫的族群，其社會發展階段，一般尚處于前文字時期。我們有理由相信，岩畫對于早期人類來説，應該就是人類記録思想、情感、宗教乃至生活方式的"圖文"資料，是史前人類的一種心理需要，也是人類心靈進步史的一種圖像記憶。所以，岩畫通常也被看成是人類前文字時期的"文獻"和"史料"。

2004年，聯合國教科文組織公布了這樣一條消息：原始藝術99％的内容都由岩畫所構成，岩畫成爲原始藝術領域中數量最多、内容最爲豐富、也最具有世界性的藝術門類。許多發現岩畫的地區，如今已不再有人居住；更多的情况是岩畫所在地的當代居民與早期岩畫製作者之間，完全没有關係，早在他們遷居至此之前，那些神秘的圖像就已經被刻印在岩壁上，對于這些圖像的來歷，他們一無所知。我們應該慶幸的是許多地方，除了刻在崖面的岩畫，地面上已没有任何文化遺産得以保留。岩畫，這些生動形象的圖畫記録，成爲那些已經消失了的早期人群的社會生活面貌的唯一證據。今天，岩畫的考古學、民族學、歷史文獻學的價值正逐漸爲人們所認識，國際岩畫委員會前主席、意大利學者E·阿納蒂教授曾感嘆説，岩畫的"每個圖形都是一種深思熟慮的創造，同時傳達出某種信息。所有這些集中在一起，構成人類四萬年歷史的一系列的記録資料。……岩畫點亮了人類漫長的歷史進程。"阿納蒂教授就此斷言，岩畫研究將"成爲下一代人類科學最具挑戰性的事業"③。

2、岩畫的發現

岩畫雖然是一種極爲普遍、又極爲古老的文化遺産，然而人們真正注意并發現這一文化遺存，却是很晚的事。"發現"不僅需要敏鋭的嗅覺與視覺，更需要訓練有素的眼睛，需要更寬闊的視野，尤其需要有能够支撐着這些"發現"的新的觀念及新的技術背景。

1627年，一位名叫彼得·阿爾弗遜的挪威教師在瑞典的波罕斯浪描下了第一幅史前岩畫的圖形，大致從這個時候起，西方人逐漸開始注意到岩畫，這個看似偶然的事件背後，實際上一定潛藏着歷史的某種必然性。近代西方資本主義產業革命直接刺激着西方殖民主義事業蓬勃發展，岩畫的發現，便是西方殖民主義開發新大陸進程所帶來的重要副產品之一。正是那些在美洲大陸、在非洲沙漠上旅行探險的西方人，最先注意到刻畫在沙漠岩壁上的動物或人物圖案，這些早已被當地土著司空見慣了的東西，却讓那些外來者們充滿了好奇與疑問。

西方殖民主義擴張促成了人類學誕生，這是一個專門研究原始部族或殖民地土著人社會生活與文化的學科。人類學研究的最初目的，并不針對整個人類或西方人自己，他們關注和研究的對象祇是殖民地的土著民族。非洲、大洋洲、美洲的土著民族大多生活在相對原始的社會狀態，人類學家在觀察原始土著居民的經濟、政治、生活方式的同時，自然也會涉及到他們的文化，包括他們的藝術生活。事實上，對于原始部族的人們來說，"藝術"更像是一個包羅萬象的文化載體，承載着原始宗教、祭祀巫術等與政治制度、社會結構、傳統習俗相關的豐富的文化内涵。梳理世界岩畫發現史，我們不難發現，歐洲以外許多地區的岩畫，最早都是由這些西方的人類學家們發現的，是他們最先注意到原始部落有在岩石或崖壁上繪畫祭祀的習俗，緊接着，這些古老的岩畫也成爲他們關注與研究對象的一部分。

如果説，歐洲以外地區的岩畫發現主要是由西方探險家與人類學家完成的，那麼，歐洲本土史前岩畫的發現與研究，却主要歸功于史前考古學家們。事實上，岩畫的發現與研究真正被納入科學的軌道，還應當是在歐洲史前考古學創建之後。新的曙光出現于19世紀後期，舊石器時代晚期的洞穴岩畫的發現令世界興奮。這以後，歐洲中石器時代、新石器時代乃至金屬時期岩畫的發現與研究也逐漸展開，與此同時，整個世界範圍内，在非洲、美洲、大洋洲等新大陸以及亞洲的不同地區，岩畫的發現也迎來了新的高潮。

3、中國岩畫的發現

中國是世界上最早記録岩畫的國家。

早在2300年前，《韓非子》裏便記録了足印岩畫："趙主父令工施鈎梯而緣播吾，刻疏人迹其上，廣三尺，長五尺，而勒之曰：'主父常游于此'。"説的是趙國一位名叫趙主父的人，令工人用鈎梯爬上高坡，爲他鐫刻了一個長五尺、闊三尺的大脚印，并注明"主父常游于此"。這裏的"人迹"即足印岩畫，鑿刻脚印岩畫的風俗直到戰國時期仍在繼續。中國古史傳説裏，脚印岩畫總與一些偉人的誕生相關，《史記》裏曾提到周人始祖后稷之母姜嫄，是在踩踏了巨人脚印之後受孕才生下他的④。北魏時期酈道元著《水經注》有不少關于岩畫的記載，據統計，僅涉及中國不同地區山川崖石上的岩畫記載，便多達二十餘處。

　　不過，儘管中國史書很早就對岩畫有所記載，但真正意義上的岩畫考察與發現，還應該是在20世紀以後。學術界通常認爲1915年嶺南大學黃仲琴教授對福建漳州華安仙字潭岩刻的考察活動，對中國古代岩畫的發現與研究具有開創意義。福建華安仙字潭（因潭邊崖壁上篆刻“仙”字而得此名）岩畫，早在唐代的史料文獻中已有記載，以後宋、明、清歷朝又有文人騷客慕名觀賞或作文。1915年，嶺南大學的黃仲琴教授親臨實地考察，1935年在《嶺南大學學報》上發表他的研究論文《汰溪古文》，認爲仙字潭的岩刻當是早期閩南民族遺留下來的古苗文。不管黃仲琴先生的結論如何，他根據古文獻及當地傳說，第一次有目的地實地考察岩畫，確實開創中國岩畫發現之先河。

　　接下來，在中國境內發現岩畫的人都是外國考古學家或探險家。1928年斯文赫定在新疆旅行途中發現庫魯克岩畫，1929年另一位西方考古學家發現內蒙古狼山岩畫，1935年意大利學者G·杜齊發現了西藏江孜的古代岩畫，等等。然而，岩畫發現在當時并沒有引起國人的特別關注，事實上，這些零星的資料在那些外國人的著作裏，也祇是順帶提及而已。

　　新中國成立之後的50年代和60年代，在中國的西南地區有過兩次重大的岩畫發現與討論。50年代廣西花山岩畫群的發現，曾經引發民族學界學術討論的熱潮；60年代雲南滄源岩畫的發現，在當時也一度成爲熱議話題。不過，50年代和60年代兩個南方岩畫的發現，仍是兩個孤立的事件，人們既沒有就此認識到岩畫本身所具有的特殊意義，也沒有特別關注這兩者之間存在的關係。

　　真正引發人們對岩畫的格外關注并逐漸引發研究熱潮，還是20世紀80年代以後的事，而它的契機便是中國北方岩畫大規模的發現。20世紀70-90年代，在短短不足二十年的時間裏，北方各省區相繼傳來岩畫大規模發現的喜訊：內蒙古陰山岩畫、烏蘭察布草原岩畫、丹巴吉林沙漠岩畫，寧夏賀蘭山與北山岩畫，甘肅祁連山與黑山岩畫，新疆阿爾泰山、天山、昆侖山岩畫等等。當岩畫自東向西在北部中國逐漸形成一條寬闊的岩畫帶時，人們逐漸意識到，岩畫這種藝術遺存在北方早期民族文化史中具有非同尋常的地位。

　　與此同時，在中國的西部地區，青海岩畫的發現首先拉開了青藏高原岩畫發現的帷幕，不久西藏高原也進入岩畫發現的黃金時期，四川、雲南、貴州等地區岩畫的相繼發現，使中國北部的岩畫帶又向西部、南部延伸，在中國的北部、西部、西南與東南毫無缺環地形成一個大的“C”字型環狀岩畫分布帶。

　　20世紀80年代是中國岩畫發現的黃金時代，中國北方岩畫長廊的發現與確立正是在這十年間，内蒙古、寧夏、新疆、甘肅、青海和西藏，北方邊疆各省區岩畫的發現如此集中，如此激動人心，在考古學界與藝術學界均引起相當大的震動，當時全國各地幾乎同時出現的岩畫發現與研究的熱潮，參與考古調查者之多，參與研究討論者之衆，都是前所未有的，這個高潮一直持續到90年代中期。中國岩畫研究的第一個高潮的出現，應當説是20世紀80年代中國岩畫大發現之後的必然產物。20世紀90年代中後期，中國岩畫的發現與研究，逐漸進入沉寂階段，冷静與理性地回顧與思考，則應該是熱潮之後的一個必然的結果。

二、中國岩畫的四大區域系統

1、關于中國岩畫分類的討論

20世紀80年代後期，中國岩畫研究學者對中國岩畫的分類是南北兩大系統説[⑤]，北方岩畫系統的基本特點是製作手法以鑿刻爲主，題材以動物圖像爲大宗，多狩獵牧放内容，表現了北方游牧民族古代社會的生產經濟與宗教文化。岩畫延續時期較長，分布範圍囊括黑龍江、吉林、遼寧、内蒙古、寧夏、新疆等整個中國北部邊疆以及西北青海、甘肅諸省區。南方岩畫系統以紅色塗繪手法爲主，題材以人的社會生活，尤其是早期宗教祭祀活動的情景表現較多，主要分布在雲南、貴州、廣西、廣東、香港、福建、臺灣和江蘇諸省區，分布區域雖廣，但岩畫點的分布非常零散，岩畫圖像數量也少。

及至20世紀90年代中期以後，研究者又從南方岩畫系統中剥離出"東南沿海岩畫系統"，認爲這是一支自成體系的獨立系統，岩畫點主要分布在江蘇、福建、臺灣、廣東、香港與澳門等東南沿海地區，基本特點是製作手法完全爲敲鑿或磨製，題材多以抽象的符號圖案爲主，多渦捲文或重圓紋、水紋、蛇紋及人面紋等内容，另外東南沿海岩畫較多航海方面的内容，這與其岩畫點多分布于海岸綫上顯然有密切關係。如是，北方岩畫系統、西南岩畫系統及東南沿海岩畫系統呈三足鼎立之勢，中國岩畫的三大系統劃分就此完成[⑥]。

筆者1997年申請到國家藝術課題《西藏岩畫的研究》，考察研究的過程中發現，在中國岩畫系統分類中，西藏岩畫的歸屬成了一個比較尷尬和矛盾的問題：有研究者將西藏岩畫劃入北方岩畫系統，也有的研究者則認爲它應當歸屬于西南岩畫系統的範疇[⑦]。之所以會出現這樣的矛盾，是因爲在中國西部岩畫中，青藏岩畫（西藏、青海以及甘肅等省區）確實具有南北兼備的雙重性格。它的雙重性首先表現在岩畫製作手法上，80％的鑿刻與20％的紅色塗繪，顯然兼具南北兩大代表性製作手法。其次在岩畫的題材内容上，西藏岩畫以動物圖像爲大宗，尤以獵牧野牦牛的題材爲主，體現了北方岩畫的特點，游牧民族文化特色也很鮮明，但同時對人的社會生活，尤其是宗教祭祀活動的熱情又與西南系統岩畫如出一轍。換言之，題材内容上青藏岩畫亦同時兼具南北風格。

將西藏岩畫完全歸屬于中國北方岩畫系統，并不太合適。即使是從古代大的族系活動範圍看，青藏岩畫雖然具有明確的獵牧文化性質，但就背後活動的古代民族而言，青藏岩畫却一定是以羌戎系統民族爲主體的岩畫類型，它與北方系統岩畫爲中國北方游牧民族（傳統中國史書中的“北狄”或“胡”系民族，如匈奴、東胡、突厥、回鶻、契丹、蒙古族等）的民族文化系統，尚有明確區别，兩者在文化性格上亦頗多差異性。例如，同樣是以動物圖像爲大宗，同樣是獵牧經濟形態，但青藏岩畫很少表現動物與動物之間的關係，具體説來，青藏系統岩畫基本見不到獸逐圖，即猛獸撲噬食草動物畫面，而獸逐圖、動物咬鬥紋却是胡狄系草原藝術中的經典主題。其次，狩獵題材也有差别，北方岩畫多獵虎圖、獵羊圖和獵鹿圖等，而青藏岩畫則以狩獵野牦牛爲主。青藏岩畫的基本圖像風格也自成一系，個體圖像較小，大部分圖像的表現手法比較粗簡。

將西藏岩畫放入中國西南岩畫系統，也值得商榷，畢竟紅色塗繪手法不是西藏岩畫製作手段的主體部分。另外，儘管藏北岩畫多紅色塗繪岩畫，但它的内容題材與鑿刻類岩畫并没有區别，也就是説，青藏岩畫的製作手法可能因地區不同而有所差别，如藏西地區岩畫幾乎都是鑿刻類岩畫，而藏北地區塗繪岩畫數量較多，但手法的不同并没有導致題材上的差異，藏北與藏西岩畫都具有明確的高原岩畫特徵——狩獵野牦牛是其主要表現方式。宗教則突出顯示出青藏苯教文化特色。總之，就岩畫題材所反映出來的生産關係與經濟形態看，青藏岩畫與西南岩畫當是兩個完全不同的體系：西藏岩畫表現的是獵牧人的生活經濟形態；而西南岩畫則更多山地農耕兼牧畜的生産方式，山地農業所占比重很大。更重要的是從民族成份上看，羌戎民族與西南百濮（南蠻）在族屬性質、民族文化習俗與經濟生産形態，顯然也應該是涇渭分明的兩大族類。

青藏岩畫之所以兼具南北兩大岩畫系統的部分特徵，還是因爲它所處的地理位置正好介于北南兩大岩畫區域之間，它雖然南北兼備，却更具有自己獨特的樣式與内涵。真正決定它能够成爲一個獨立的岩畫系統的原因，最終還是取決于獨特的地理生態環境以及由它所帶來的一系列歷史、經濟、生態，乃至民族及文化的特殊性。青藏高原在中國歷來就是一個具有鮮明地域特徵的獨立的地理單元，而在這塊土地上孕育出來的民族，繁衍出來的歷史文化，始終以個性鮮明、氣質强烈的特徵而震驚世人，岩畫藝術亦自當如此。

在中國諸古代民族系統中，確定羌戎系統民族的岩畫範圍也是頗順理成章的事情，這不僅因爲羌戎系統民族在中國古史中歷史非常之悠久，還因爲這個古老的族群最早雖然是在青藏高原東部邊緣地帶活動，却是開發青藏高原最重要的古代族群，青藏岩畫所反映的正是這一族群開發青藏高原的歷史過程。青藏岩畫雖然分布得十分分散，却反映了古代羌戎系統的不同部族的歷史文化積澱。因此，應在北方與西南兩大岩畫系統中，剥離出一個獨立的青藏岩畫系統。

2、中國岩畫的四大區域系統

中國岩畫按地域、製作手段、表現題材及大的古代民族關係，大致分爲四個大的系統：一、北方岩畫系統；二、青藏岩畫系統；三、西南岩畫系統；四、東部岩畫系統。

北方岩畫系統指分布于我國北部少數民族地區的一個龐大的岩畫體系，它的特點非常清楚：一、分布區域廣闊，岩畫分布密集而平均，岩畫數量極爲巨大；二、岩畫表現內容以動物及牧獵內容爲主，爲北方游牧民族特有的生產及生活方式的顯現；三、岩畫製作手法以敲鑿與磨製占絕對優勢；四、岩畫製作年代持續時間較長，參與岩畫製作的古代民族數量衆多，但以胡狄系民族爲主體；五、宗教以北方薩滿教內容爲其主要特色。

青藏岩畫系統指分布在青藏高原腹心地帶及邊緣區域的岩畫系統，這是一個具有明確高原特色的岩畫系統，其特點可歸納爲：一、青藏高原爲其獨立的地理單元，岩畫分布呈現出分布區域廣闊，但岩畫點零散的特點，岩畫整體數量不大；二、岩畫表現內容以獵牧野生牦牛爲其標志性圖像，高原特色强烈；三、岩畫製作手法南北兼收，以鑿刻爲主，兼有一定數量紅色塗繪；四、參與岩畫製作的古代民族當以古羌人活動遺迹爲主，岩畫製作年代則可能主要集中在吐蕃王朝建立之前的千餘年之間；五、宗教文化以流行于青藏高原的苯教爲其主要特色。

西南岩畫系統指分布于西南雲貴高原及廣西、川南、鄂西等地區的岩畫，這一系統的岩畫也具有自己鮮明的特徵：一、岩畫的分布比較分散與零星，但局部地區相對密集，如雲南滄源岩畫與廣西花山岩畫，尤其是後者，圖像數量大，局部密度較高；二、岩畫多爲崖壁畫，製作手法均爲紅色塗繪；三、岩畫題材對人們的社會生活表現出濃厚的興趣，農耕、放牧、競渡、舞蹈等生活場面十分生動；四、宗教色彩濃鬱，一些大型的群衆性祭祀場面十分壯觀，加之畫面形象爲紅色塗繪，更强化了其神秘熱烈的氣氛；五、該系統岩畫似與古代南方銅鼓文化有密切關聯，不僅是因爲古代民族及分布區域的重叠，還因爲一些地區岩畫中出現了銅鼓的符號式圖像，製作民族當以西南濮僚系統民族（百濮或西南夷）爲主。

東部岩畫系統指分布于中國東部自北起內蒙古赤峰，經遼東半島、山東半島、江蘇至整個中國東南沿海地區的岩畫，該岩畫系統之所以能够成立的理由如下：一、岩畫表現手法均爲鑿刻或磨刻類；二、岩畫所表現的題材內容有相當的一致性，以人面、人形、凹穴（杯狀坑）、圓渦捲文（重圓紋）或抽象曲綫等圖像爲主；三、岩畫圖像的抽象性、意像性及符號性非常突出，圖像風格以直接還原出古老的宗教文化內涵爲其特徵；四、東部岩畫的考古年代比較清楚，該系統岩畫的古老性在整個中國岩畫中可謂相當突出；五、就參與岩畫製作的古代族群而言，由兩大部分組成：東部與東北部主要是早期的東夷、東北夷等民族；東南沿海地區則是百越族群。

綜上所述，我們不難發現，中國岩畫四大系統所分布的區域，與中國傳統史學中民族史的基本觀念——"華夷五方格局"，彼此也是相互適應的，也就是説，中國的古代四大岩畫系統，實際上分別屬于北狄、西羌、南蠻、東夷四大古代民族系統（見下表）。

中國岩畫四大系統分類表

岩畫系統	分布區域	製作手段	題材內容	特色內容	原始宗教思想	古代民族	考古年代
北方岩畫系統	主要分布中國北方邊疆，以內蒙古、寧夏、新疆三區爲主	鑿刻占絕大部分	羊、鹿、馬等動物圖像占絕大部分，多動物咬鬥紋，多狩獵牧放題材	虎、車紋、各種動物圖像	薩滿教：自然崇拜、動物崇拜、生殖崇拜	北狄（北方游牧民族）	石器時代、青銅時代、鐵器時代
青藏岩畫系統	以整個青藏高原爲其分布範圍，西藏青海全部，甘、滇、新諸省區的部分	鑿刻爲主兼紅色塗繪	動物以牦牛、羊爲主，多狩獵牧放題材，多宗教符號或祭祀場面，多戰爭或格鬥場面	牦牛與狩獵野牦牛	苯教符號系統：日、月、樹、雍仲、塔狀物、神鳥崇拜	羌戎（西部游牧民族）	銅石并用時代（距今3000－1000年之間）
西南岩畫系統	以雲貴高原及廣西爲主，延伸至川東與鄂西等地區	紅色塗繪	以人們的社會生活內容爲表現題材，尤其擅長神話、祭祀等內容	蹲踞式舞蹈人形紋	祖先崇拜等	濮僚（南蠻之百濮、駱越⑧等）	青銅時代（3000－2000年之間）
東部岩畫系統	北起內蒙古赤峰，南達廣東香港，整個中國東部地區	鑿刻磨製	人面、獸面、人形、凹穴、圓圈紋、捲渦紋、曲綫紋等，多抽象紋飾	人面像、凹穴、捲渦紋	太陽神、神靈面具、星象、生殖崇拜等	沿海夷越（東夷、東北夷、百越系民族等）	石器時代至金屬時期

三、北方、青藏與西南三大岩畫系統

1、北方岩畫系統

北方岩畫系統的岩畫分布，東起大興安嶺，穿越整個內蒙古高原，延伸新疆西天山盡頭，綿延數千公里，是橫貫中國北部呈東西走向的一條漫長的岩畫走廊。北方不同省區的岩畫基本上可以做到首尾相合，彼此銜接，在地理上涵蓋了中國全部的北部邊疆，形成一條寬闊的岩畫分布帶，看上去猶如又一道雄偉的萬里長城。不過比之中國古代的萬里長城更靠北方，是中國版圖上北部邊疆獨有的一條清晰可見的岩畫"萬里長城"。當然，這兩條"長城"的文化性質有明顯不同，萬里長城是中國南部農耕世界與北方游牧民族在經濟與文化上的分界綫，而岩畫長城則完全由北方游牧民族所創造，是中國北方古代獵牧文化的重要遺存。

北方岩畫系統是中國岩畫寶庫中數量最爲龐大的一支，在這一龐大區域裏分布的岩畫圖像如此密集，主要分布在北部邊疆衆多東西走向（除寧夏賀蘭山之外）的山脉及山系的草原與沙漠之間，如東北的大興安嶺、內蒙古的陰山、烏蘭察布、巴丹吉林沙漠中的曼德拉山，寧夏的賀蘭山與北山，新疆的阿爾泰山及天山等山脉，都是北方岩畫最重要的集中分布地帶，因而內蒙古、寧夏與新疆這三個少數民族自治區，也就成爲中國最大的三個岩畫省份。對此，蓋山林先生曾有過一段描述："岩畫分布廣，數量多，密集程度高。東西有萬里之遥，是我國，也是世界上岩畫密集地區之一。……這個地區有陰山、烏蘭察布草原、巴丹吉林沙漠、賀蘭山、阿爾泰山、天山幾個大的岩畫寶庫，據已發現的岩畫初步統計在十萬幅以上，估計岩畫數量不下百萬幅，已引起國內外學術界普遍關注。"⑨

北方系統的岩畫，最突出的特徵是它的"動物風格"。

動物圖像是北方這條岩畫畫廊裏出現頻率最高，數量最多的圖像，食草動物以羊、鹿、馬、犬等爲主（均爲這些省區的現存動物物種），食肉動物有虎、狼、豹等，其中最具古代北方草原民族藝術特質的圖案是那些動物咬鬥紋（虎食馬、羊等食草動物的紋飾）或獸逐圖（猛獸捕捉食草動物的圖像），北方岩畫中的動物圖案往往表現的是動物與動物之間的關係，這是一個名副其實的動物世界。

研究者注意到，在這個岩畫世界中，絕大部分的圖像主要反映的似是動物世界內部不同物種多樣的生存法則，例如草原動物世界的食物鏈、食肉動物與食草動物的關係，食草動物內部的關係等等。與此同時，其岩畫看似祇是個動物世界，但實際上卻更是透過動物之間的多種關係，隱寓了獵牧人群的社會生活法則或傳達出北方古代民族特有的人生哲學思考。無論是動人心魄的動物咬鬥紋還是激烈的獸逐圖，對弱肉强食這一動物世界的基本法則所表現出的平静而欣賞的態度，都頗令人

驚嘆，它所體現出來的藝術態度是獨一無二的，是中國其它地區岩畫系統所不具備的獨特的藝術觀察視角。北方岩畫所反映出來的動物世界，很容易讓我們聯想到中國古史長期以來對那些源源不斷出現的北方游牧強族——"北狄"的記録、認識與描述，蒼狼、雄鷹、猛虎、駿馬與奔鹿，這些勇猛的動物岩畫形象，折射出北方强悍的騎馬民族的速度與力量⑩。二千餘年前，古史中曾有"南有大漢，北有匈奴"之説，自那以後直至清王朝滅亡之前，中國歷史的基本構架是南有華夏帝國的格局没變，但北方强族的族稱，却在不斷地更替。中國的北部邊疆，是强族馳騁與出没的地方，在這個巨大的民族歷史舞臺上，走馬燈似地不間斷地活躍着剽悍遒勁的游牧民族——秦漢時期的匈奴，漢晉時期的鮮卑、柔然，隋唐時期的突厥，唐宋時期的回鶻與契丹，元明清時期的蒙古族……，不斷更替的强族政權雖然没有在北方岩畫中出現過，但强悍的 "動物風格"岩畫却將那些消失殆盡了的鐵鏃兵戈與戰火硝烟的歷史，轉化成了岩石上的史書，那些曾經活躍于北方草原上的民族的文化痕迹，就這樣得以保存下來，其珍貴程度可想而知。

北方岩畫的"動物風格"還凝聚了北方古代民族的宗教思想與内心情感，其表現形式有二：一是北方游牧族岩畫的"動物神"觀念；二是通過動物蹄印或動物交媾圖像反映生殖崇拜的理念。

"動物崇拜"普遍存在于世界各大洲的原始岩畫中，在獵牧人的岩畫裏表現得更爲明確。在内蒙古陰山、寧夏賀蘭山岩畫裏，某些巨型動物顯然被賦予了强有力的神性，對這種動物神性的想象，成爲北方岩畫世界裏原始宗教的藝術源泉之一。一些巨大的動物圖像，牛或鹿的身軀内或旁邊，重叠着體積很小、成群結隊的小型動物，這類圖像明確傳達出巨型動物所具有的神格及所擁有的偉大力量——它是其它弱小動物或種群的保護神。北方岩畫中的"鹿石"圖像，很可能反映了北方民族動物崇拜的另一種形態：將不同動物最具有力量的部分結合起來——猛禽喙、鹿角、虎斑、馬體等融爲一體，創造出一種全新的具有飛翔能力的動物神（很可能是具有通天能力的神獸），這大抵是另外一種動物神性的體現。

北方岩畫中生殖崇拜的内容與表現形式也很豐富，既有對人類自身繁衍的關注，也有對牲畜豐産的祈禱。岩畫圖像的生殖崇拜給人的印象是具有一定的操作性，例如大量動物蹄印的排列，不排除是多次巫術過程的産物；另外，一些體積肥碩的動物尾部與身體周圍，有序地排列着小圓點，也很容易讓人聯想到牧人們對動物繁衍豐産的渴望。

北方岩畫的"動物風格"還突出地表現在動物圖形風格的多樣化上。有寫實具象的動物圖像，手法樸實客觀；也有充滿抽象意趣的動物圖形，顯示出更多理性的思考；更有一些完全符號化的動物岩畫，令研究者猜測它們與其說是一種圖畫，莫若說正要邁入文字的門檻。動物風格的多樣化反映出其背後兩個重要的文化現象。一是北方岩畫系統參與製作岩畫的古代民族衆多，不同的民族在岩畫表現的題材與技法，具有自己的傳統與偏好，例如匈奴人擅長畫虎，鮮卑人喜歡畫鹿，突厥人畫的動物形體更有抽象感覺，蒙古族畫的馬則強壯健碩。而當衆多民族都在北方岩畫長廊中留下自己的印記後，不難想象，這會是怎樣一個多彩斑斕、風格多樣的動物世界。二是從考古年代看，北方岩畫也是不同歷史時期不斷積纍而成的岩畫世界，延續的時期很長，一些研究者主張，北方岩畫中的某些早期動物圖像當爲史前石器時代的遺存⑪。更多的研究者認爲，北方岩畫系統的考古年代以青銅時代爲主，最遲可延續至宋元時期，甚至是明代，例如西夏党項人與元明時期蒙古民族的動物岩畫可能是北方岩畫系統中最晚的一批。如此可知，北方岩畫遺產的敲鑿製作長達數千年，其繪畫風格，想不紛呈多樣也難，不同歷史時期的不同人群必將留下面貌迥異的畫面，即使是同樣的羊或鹿，不同時代的人看它們，表現它們，也總是會有差別的。

從藝術角度看，最優美生動的動物岩畫也集中在中國北方岩畫系統，華麗渦捲的鹿角，憨厚笨拙的野牛，威風凛凛的虎姿，造型舒展的馬形，對不同物種的動物的生動描繪，顯示北方游牧民族與牲畜（動物）特有的一種關係。當然，北方岩畫中對人的表現也毫不遜色，祇是手法非常簡約概括，更加符號化一些。事實上，北方岩畫中的動物圖像，更包含了人與動物的多層關係，狩獵、牧放是北方岩畫中最常見的關係到人的活動的題材，動物既可能是人們追獵圍殺的對象，也可能是牧人們的生產財富，當然也可能被人們賦予超自然的神格并成爲被膜拜的對象。

北方岩畫中讓人印象最深刻的狩獵畫面不是追逐羊群或是射獵麋鹿，而是獵殺猛虎！寧夏賀蘭山岩畫中的一幅獵虎圖，表現了獵手們圍獵猛虎的驚心動魄的一幕，數條獵犬朝着被圍困在正中的老虎狂吠，若干獵手在虎的不同方位衝着它拉弓射箭。儘管在北方岩畫系統中很少見到戰爭的場面，單就這幅獵虎岩畫，已向我們傳達出北方強族尚武驍勇的民族特質。

北方岩畫系統在製作手法上非常統一，均爲鑿刻或磨刻而成，也許是在山岩上鑿刻的手法最能體現北方游牧族群強悍堅硬的特質。總之，岩畫製作手法以鑿刻占絕對優勢，岩畫藝術表現風格粗獷質樸，蘊涵着北方游牧民族特有的厚重、堅毅、簡約而樂觀的性格特徵。

2、青藏岩畫系統

青藏岩畫系統的突出特點是獨特的高原地理生態環境決定其岩畫表現内容題材的特殊性，除了其經濟生產方式的特殊性外，還包括其早期社會生活及宗教文化的特殊性，換言之，青藏高原由于其海拔的高度，決定了高原上生活的動物種群的特殊性及隨之而來的宗教文化的獨特性——這是一個以牦牛與苯教雍仲符號爲其基本標識的岩畫體系，我們也將這一岩畫樣式稱作"牦牛風格"。

青藏岩畫的表現母題是牦牛圖像。牦牛是高海拔地區特有的一種動物物種，體魄厚重、體毛厚密，喜凉懼熱，耐寒抗凍抗缺氧，深受藏族人民喜愛，宿有"高原之舟"之美譽。從岩畫看，無論是早期的狩獵野牦牛，還是後來對野牦牛的馴養牧放，都反映出牦牛這種動物種群與製作青藏岩畫的這個古代族群之間，存在着一種特殊關係，野牦牛的捕獵與馴服，家牦牛的繁衍與豐産，當是游獵于高原北部的獵牧民族最主要的經濟生産方式。青藏高原文化中，"牦牛崇拜"在民間也擁有根深蒂固的傳統，至今高原隨處可見的瑪尼石祭壇上都會堆積着牦牛角，西部阿里地區的靈石與牦牛角上還會大量塗紅以示神聖，藏民屋頂或門框上也常常擺放或懸挂着牦牛角，野牦牛尤其珍貴，而這種民間的宗教情結在青藏岩畫中，顯然也有相應的表現。

青藏高原岩畫的第二個特徵是宗教色彩濃厚。青藏岩畫在其發展過程中，逐漸形成了一整套高原苯教早期的宗教符號系統[12]，這一套系統是由日月、樹木、雍仲符號、塔狀物、鳥（鷹）及鳥人等因素構成，其中與西藏岩畫共始末的最爲核心的符號便是日月與雍仲符號，尤其是"雍仲"符號在青藏岩畫系統中最具代表性，難怪人們通常會稱高原苯教爲"雍仲"苯教。研究者認爲，"雍仲"符號的産生與流行與高原古代部族的鷹圖騰崇拜有非常密切的關係[13]，其典型圖像便是苯教歷史文獻與青藏岩畫中經常出現的神鳥"穹"（Khyung）形象，"穹"不僅是高原古老而神秘的部族古象雄信奉的神靈名稱，還是創建苯教及傳播苯教的古象雄王族的姓氏。近年來，研究者根據對苯教文獻與民間傳說的梳理，發現"象雄"這一稱謂的真實含義正是藏語"穹族"的直譯，意譯則是鳥人部落（神鳥穹的部落）[14]。早在青藏高原的銅石并用時代，古象雄王國與苯教雍仲符號的關係已盡人皆知，而青藏岩畫中的神鳥"穹"圖案，恰恰保留了原始苯教神鳥穹信仰發端時期的最早圖形資料。

綜上所述可知，確定哪些岩畫屬于青藏岩畫系統，其標準有二：一是岩畫中較多出現牦牛圖像；二是岩畫中較多出現青藏土著宗教苯教的典型符號——日月、樹木與雍仲符號。據此對中國西部多省區岩畫圖像進行梳理後發現，青藏系統岩畫并不僅限于西藏自治區，所涉及區域可延伸至與西藏自治區接壤的大部分省區，而所有與之相關的岩畫，實際上又絶未超出青藏高原邊緣的地理範疇。

青藏系統岩畫的分布，呈現爲局部相對集中，整體非常分散的特點，基本可以概括爲"五個區域"及"兩個中心"。"五個區域"是指青藏系統的高原岩畫分布，涉及到中國西部藏、青、甘、滇、新疆等五個省區，五省區除西藏自治區與青海省西南部以外，其它省區的岩畫大都分布于青藏高原的邊緣地帶，如新疆與西藏、青海交界的昆侖山岩畫群的某些地段，青海省青海湖周邊地區的岩畫群，甘肅祁連山一帶的岩畫點，雲南金沙河流域的岩畫群等。在這些地區不多的岩畫裏，不僅出現牦牛或狩獵野牦牛的畫面，同時伴隨苯教的雍仲符號，造型幾乎類似的畫面出現于新疆的昆侖山麓、甘肅的祁連山岩壁和青海的野牛溝岩畫點，這不能不讓人驚嘆青藏牦牛系統岩畫分布區域的廣袤。不過，由于上述的岩畫區彼此之間相距甚遠，在客觀上，也就造成從整體上看，青藏高原岩畫的分布顯得非常分散。

　　青藏岩畫的核心區域位于"羌塘"——藏北草原，"兩個中心"是指青藏高原上的兩個岩畫分布相對集中且岩畫數量較大的中心區域——藏西岩畫區與藏北岩畫區。藏北岩畫區在西藏自治區正北那曲地區，東起納木措湖西至當惹擁措湖。藏西岩畫區以西藏阿里地區的日土縣爲軸心向四周擴散。藏西與藏北兩地之間零星存在的岩畫點，將兩個中心彼此相聯，并最終形成一個東西長、南北狹的條狀地帶（東經79°–92°、北緯30°–34°之間），這個條狀地帶在地理上則位于藏族傳統歷史地理概念中的"羌塘"的南部邊緣。

　　藏語之"羌塘"，爲廣義的"藏北草原"之意[15]，泛指自藏西岡底斯山脉逶迤至青海省青南高原的廣袤地帶。這是一個極爲遼闊的地理概念，東西長2400公里，寬700公里，平均海拔在4500米以上，是世界上最大也是最高的高原。藏北高原上的湖泊，星羅密布，而岩畫點便散落在這個湖濱區的南部邊緣一線。在這個偌大的高原面上，這條岩畫分布帶簡直就像是一條短而粗的綫條而已，祇能是一種極爲零星的點綴。事實上，西藏所有的岩畫圖像加起來，大抵也祇有數千個。祇要稍作比較便不難發現，青藏系統岩畫，無論是其岩畫點分布的平均與密集程度，還是整體的岩畫數量，與北方系統岩畫都不可同日而語（儘管它們都是獵牧民族的文化遺存）。不過，這一現象并不奇怪，要知道在這片巨大的高海拔地帶，除極少量的灌木和非常稀疏的草皮外，幾無植被，嚴寒與大風帶來的乾燥與荒漠，使這裏的氧氣比起冬季祇有内地60％氧氣量的藏南河谷，還要稀少許多。自然條件如此嚴酷，人類的活動自然極爲有限。然而令人費解的是在西藏歷史上的某一個時期，藏西與藏北的湖濱區，却成爲了青藏系統岩畫分布得相對密集的地區，與此同時，考古學家也發現，藏北細石器文化分布密集程度同樣超過了今人的想象（時至今日，大多數早期藏北高原岩畫點附近，已經成爲"無人區"！），這些現象說明，高原早期人類在青藏高原腹地的活動帶，更靠北也更靠西。20世紀80年代印屬的拉達克岩畫考察資料以及70–80年代巴基斯坦吉拉斯河谷岩畫考古成果證實，青藏岩畫向西已經不僅進入到古代斯瓦特地區，還曾經抵達印度河上游地帶⑯。

　　青藏高原上的古代岩畫遺存，數量雖然有限，卻真實地記錄了古羌人進入并開發藏北草原的輝煌歷史，青藏系統岩畫的製作族群，主要是歷史上活動于中國西北地區古羌人族群中不斷向西遷徙移動的一支或若干支。從青藏岩畫的分布看，他們的活動路綫有若干條，其中有明確史料記載的一支是《後漢書·西羌傳》中提到的唐旄、髮羌。

　　"自爰劍後，子孫支分凡百五十種。其九姓在賜支河首以西，及在蜀、漢徼北，前史不載口數。……髮羌、唐旄等絕遠，未嘗往來。"

　　文獻史料中提到的這一支系的西遷大致在戰國末年，該時期與藏北、藏西岩畫的考古年代大致吻合。除此之外，還有若干羌人岩畫遺留在新疆與西藏接壤的昆侖山脉與甘肅與青海交界的祁連山麓。值得注意的是，這些地區的岩畫除了古羌人游牧岩畫風格外，也顯示出羌胡兩大族系在文化上的融合。

　　3、西南岩畫系統

　　西南岩畫系統分布于我國西南邊疆地區諸省區，以雲貴高原爲主體，向東綿延至廣西左江流域，向北進入川南山地。岩畫呈散點分布狀，局部地區岩畫十分密集，如廣西左江流域崖壁畫、雲南滄源岩畫等，但整體上看，岩畫點的分布不够密集，岩畫圖像的數量也不多。

　　西南岩畫系統最突出的特點是岩畫製作均爲紅色塗繪。西南地區的原始先民選擇紅色顏料作爲岩畫的製作方式，是對其所生活的自然地理環境長期觀察的結果。南方山岩裸露出來的地質情况比較複雜，抬升構造、侵蝕、岩溶山地地貌普遍，岩質軟則岩畫不易長久保存，岩質硬則又不適合鑿刻，加之南方多雨陰濕，岩壁潮濕，山地植被豐富，刻痕不易辨認。而使用紅色顏料繪製岩畫，在叢林山壁上頗有"萬綠叢中一點紅"的醒目效果，色彩鮮亮而强烈。當然，早期人類選擇紅色顏料作畫，一定有更深層次的原始心理與宗教方面的原因，紅色對于早期人類無疑具有極爲特殊的意義。從舊石器時代中期起，世界不同地區的古人類就有"尚紅"習俗，山頂洞人埋葬死者時已有在尸骨周圍撒赤鐵礦粉的習俗，世界不少古人類生活的洞穴文化堆積層裏都發現有赭石粉殘存。紅色，是一個色相强烈而又充滿矛盾的顏色，鮮血般的紅色既與死亡相關，又是生命力的象徵，還意味着神聖的力量，用紅色顏料作畫的效果是可想而知的。事實上，西南岩畫系統的紅色塗繪岩畫，尤其是那些用充滿神力的紅色，描繪神秘莊嚴的宗教祭祀場面時，確實具有很强的視覺衝擊力，很容易讓人產生心靈的震撼。

　　西南岩畫系統的第二個特徵是它的內容題材，表現出岩畫製作者對人的社會生活的直接關注，尤其顯示出對宗教祭祀場面的濃厚興趣。西南岩畫中的一些大型宗教祭祀場面，規模宏大，氣勢磅礴，在中國古代岩畫中也堪稱大場面與大手筆。這裏要特別提到廣西左江流域的古代岩畫，廣西左江沿江兩岸，奇峰拔起，一幅幅大型紅色古代崖壁畫大都繪製在江流轉彎處的峭壁上，時斷時續沿江綿延數百公里，而所有的畫面幾乎都在重複着同一個主題——盛大的群衆性祭祀場面。在左江流域的古代岩畫中，花山岩畫是規模最大，圖像最多，最具有典型意義的岩畫。"花山"實爲"畫山"之諧音，意爲圖畫之山。花山岩畫高達40米，寬約221米，共出現圖像一千八百一十八個，最大的圖像高達3米，最小的也有30厘米，祈禱的人群分布在幾千平方米的崖壁上，場面十分壯觀。岩畫上的人們雙臂高舉做"祈禱狀"，以側身從不同的方向朝向畫面正中。畫面的正中位置由身材高大、同樣雙臂上舉、兩腿分開呈蹲踞式的正面"大人物"所占據，這些"大人物"們應該是盛大祭祀活動的中心人物，在這類人物形象的腳下通常畫有一條狗，而他們的頭上則畫有鳥形，周圍還會出現在南方古代社會中象徵着權力與財富的銅鼓符號。

值得注意的是西南岩畫系統與古代南方銅鼓文化的分布地區與使用民族，尤其是與南方銅鼓文化的發源與發展走向，有很強的相似性。南方銅鼓文化與西南古代岩畫的基本發展脉絡是它們均發源于滇西而繁榮于廣西，西南地區的早期岩畫，也主要發生于滇西地區[17]，研究者認爲滇西古代岩畫繪畫手法的古拙、質樸，尤其是人物正面的表現模式，應當早于廣西左江流域人物表現的"側身"樣式[18]。南方古代銅鼓文化與西南系統岩畫的另一個重疊點是古代民族族系的同源，西南地區承載南方銅鼓文化的古代民族當以西南濮僚（百濮）系民族爲主[19]，西南岩畫也顯示出大致相同或相近的古代族類習俗及文化特徵[20]。《逸周書·王會解》説："成周之會，卜（濮）人以丹砂［獻］。"孔晁《注》説："卜人，西南之蠻。" 這段文獻記載，既是涉及西南古代民族開采紅色顔料并以此爲珍貴禮品的最早記録，也證實了濮僚系民族與紅色塗繪岩畫的特殊關係。

四、東部岩畫系統

1、關于東部岩畫系統的建立

如果説西部岩畫劃分出北方、青藏、西南三個岩畫系統，祇是在傳統分類的基礎上的一種新的嘗試，那麽，東部岩畫系統的建立，一是爲了理順21世紀以來中國岩畫新發現所帶來的新成果與原有岩畫分類結構的關係，二是重新思考中國東部古代岩畫分布、題材與製作手法上的共性與特殊性，三是從環太平洋岩畫文化區域的更大範圍找尋中國東部岩畫文化的定位。

關于東部省區的岩畫，以往的岩畫系統分類，有兩種不同的觀點：一是東南沿海岩畫系統㉑，二是"人面"岩畫系統㉒。應該説，在中國岩畫中劃分出東南沿海岩畫系統，陳兆復與蓋山林兩位先生的觀點大體一致，這一岩畫系統在地理分布上衹包括東部與東南部諸省區，即江蘇、安徽、福建、臺灣、廣東、香港和澳門等省區的岩畫。研究者將東南沿海岩畫劃分爲一個系統，是因爲這些省區的岩畫點大多位于海邊，岩畫製作手法均爲鑿刻，内容題材以抽象紋飾爲主，較多表現水紋、蛇紋和航海紋等，另外，岩畫製作民族似與古代百越族群有密切關係。在這個岩畫系統中，江蘇連雲港將軍崖岩畫擁有相對密集的人面像岩畫，福建、臺灣的岩刻中也有類似的人面岩畫，陳、蓋兩位先生并不以爲人面岩畫可以單獨成爲中國岩畫分類中的一大分類。

"人面岩畫系統"的確切提法，之前并沒有明確見到，不過，早在20世紀90年代初期，岩畫研究者宋耀良先生便主張産生于東部江蘇連雲港將軍崖的人面岩畫，是流行于中國東部與北部岩畫的一個重要母題，他關于中國人面岩畫的研究，在國内岩畫界曾産生過較大影響。筆者見到明確的"人面岩畫系統"的説法，是在2009年，宋耀良在海外發表的論文裏明確提到了"人面岩畫系統"。他説："我是在實地考察中國當時幾乎所有岩畫遺址後，才發現它是一個獨立的系統，它以連續綫性方式，一個個遺址地傳播，在中國境内衍生出三大分布帶"㉓。

關于中國境内這三條人面岩畫的分布帶，宋耀良是這樣描述的："一條是沿内蒙古高原與華北、河套平原的邊緣綫，從赤峰往西，沿各山脉的南麓，經狼山、陰山，到達巴丹吉林沙漠。還有一條逆黄河而行，從内蒙古，經寧夏到甘肅，在兩岸面河的山谷口，留下衆多的遺址。另一條則是從赤峰向南經過江蘇連雲港，沿海岸綫到達閩南和臺灣萬山。人面岩畫是中國境内製作最精美，圖像最奇特，内涵最豐富的一種岩畫。"㉔宋耀良感嘆道："在如此廣大地域内傳播，岩畫符式的規定性基本恪守如一，不能不令人嘆爲觀止。這些五千年前鑿刻在山裏的人面岩畫，在很多方面構成中國上古文明的源頭。"

應該説，兩種與東部岩畫分類相關的觀點，在中國岩畫學界都産生過較大的影響。"東南沿海岩畫系統"的分類，充分注意到了東南沿海地區岩畫點之間的關係，尤其是江蘇連雲港岩畫與東南沿海岩畫之間的關係，對這類岩畫共性的總結也非常精彩。不過，東部岩畫衹涉及東南沿海區域岩畫，多少忽略了東部與東北岩畫之間的聯繫，畢竟江蘇連雲港與内蒙古赤峰地區人面岩畫之間的聯繫是非常重要的。其次，21世紀以來中國岩畫發現的新成果，也主要集中在中國的東部地區，這些新發現促使我們重新思考一些問題。從近年來岩畫新發現看，東南沿海岩畫系統的分類，很難囊括那些并不位于沿海地區，却顯然屬于中國東部地區的岩畫，例如安徽岩畫、河南具茨山岩畫、福建漳州岩畫以及內蒙古赤峰岩畫。

　　至于"人面岩畫系統"的分類，是以岩畫特殊題材作爲分類標準的，它并不單獨涉及到某一個大的區域，雖然，中國境內的所有人面岩畫是否確實就是由"一個個遺址地傳播"而來，尚值得商榷，但不可否認的是宋氏提出的人面岩畫流行區域，在整個中國東部，北起東北赤峰，南至閩南、臺灣地區，都是其傳播帶中重要的組成部分。而人面岩畫以及與人面岩畫相伴的抽象圖案，則是中國東部岩畫中的重要表現母題。關于中國的人面岩畫，筆者的觀點是中國東部的人面岩畫應當是自成系統的，僅從圖像學的角度看，東部地區的人面岩畫與分布于北方寧夏、內蒙古的人面像岩畫，兩者尚有明顯區別。

　　東部岩畫系統的劃分，主要是爲了順應近年來岩畫的最新發現與研究趨勢。東部地區岩畫的新發現或重新發現，代表着20世紀末至21世紀初岩畫發現的最新成果，會在一定程度上修正我們以前的結論。這些新的發現主要集中在以下三個地區：一是河南具茨山岩畫的新發現，二是內蒙古赤峰地區的新發現，三是江蘇連雲港市岩畫的新發現。當然，後兩個發現應當説均屬于再發現性質。

　　談及21世紀中國岩畫的大規模發現，不能不提到河南具茨山岩畫。有意思的是，河南具茨山岩畫其實早在1988年便已被發現，然而真正引起學界注意，却已是20年之後的2008年㉕。具茨山岩畫的這個發現過程之所以如此漫長，可能還是因爲所謂的具茨山岩畫，嚴格説來與"繪畫"藝術距離很遠，除極少人形圖案和動物圖案外，其主要題材是一些規則或不規則排列着的凹穴、格狀或條狀綫條，圖案整體上顯得比較單調和抽象。值得注意的是與具茨山岩畫同時發現的，還有具茨山上的石板墓、石棚及壘石建築聚落遺址等，而具茨山岩畫絕大部分都鑿刻在山上面朝天的平坦大石上。

　　無獨有偶，近年來江蘇連雲港市最新考古普查後的岩畫遺址，已達三十六處㉖，而這些新發現的岩畫，也主要是一些被稱作"星相圖"的不規則排列的凹穴和格狀圖案，這類岩畫圖案與具茨山岩畫，居然驚人地相似。

　　上述兩個以凹穴岩畫爲主的地區，岩畫所處環境，還有兩個現象值得特別注意：一是這些岩畫遺址旁邊或附近通常也會出現舊石器時代或新石器時代的遺址，二是岩畫遺址通常會與一些天然石棚相伴生㉗。

　　除了上述兩個重要的岩畫新發現外，內蒙古赤峰地區岩畫發現也取得了較大的進展，赤峰新發現岩畫的突出特點是一些人面岩畫與凹穴岩畫的伴生現象㉘，當然，這個現象在連雲港岩畫群裏也同樣凸顯。

　　2、凹穴岩畫——貫通整個東部岩畫系統的重要母題如果我們要尋找這三個地區新發現岩畫的共同點的話，"凹穴"岩畫是它們真正具備的共性部分。比較而言，赤峰岩畫與連雲港岩畫的關係表現在人面岩畫與凹穴伴生現象；而連雲港岩畫與具茨山岩畫，其相似點就更多了，不僅圖案風格、圖案排列相似，凹穴岩畫與石棚（或巨石遺迹）共存現象也是兩者共有的。由此不難發現，真正串起三者的共同點，實際上正是"凹穴"岩刻。放眼望去，我們還會發現，整個中國東部岩畫其最突出的特點也正是這個"凹穴"岩刻現象！凹穴岩刻，幾乎遍布每一地區的岩畫群或岩畫點。然而，也許是由於這種鑿刻于岩石表面上的"凹穴"委實是太缺乏圖畫性與"藝術性"，即使是今天，人們似乎也很難將它們歸類于早期的岩畫藝術之中。

較早注意到中國東部沿海地區岩畫中普遍存在着凹穴現象的是江蘇學者李洪甫先生，當時他將這種岩刻稱作"杯狀坑"，并將中國東部沿海岩畫中的"杯狀坑"與韓國、日本乃至環太平洋沿岸的凹穴岩刻聯繫起來，認爲這是一個流行地區較廣的古代文化現象㉙。

那麽，什麽是"凹穴"岩畫？事實上，凹穴岩刻的類型較多，但可大分爲兩類：一類是深而大的"杯狀坑"，一類是淺而小的"凹穴"。當然這兩種類型内部又有不同的尺寸與深度，不過其基本特徵是在岩石表面鑿或磨刻出一種凹進去的小圓坑（圓穴占絕大部分，也有少量方形凹穴，方形凹穴較多出現于河南具茨山岩畫）。

凹穴岩刻雖然其貌不揚，但却是將中國東部岩畫連成一片的重要基因。整個中國東部地區，北起内蒙古赤峰，經遼西遼東，過河南東部與山東半島連接，然後經由安徽、江蘇、福建、臺灣、廣東、澳門至香港，其岩畫擁有許多共同特徵：一、岩畫表現題材相對統一，大都集中在以下五大題材上：①人面岩畫；②人形岩畫；③凹穴岩刻；④抽象性曲綫或格狀圖案；⑤圓圈紋或捲渦紋等。當然，不同的岩畫區擁有的題材有多少差异，多的有四項，少的可能祇有其中一兩項。例如連雲港岩畫便囊括了其中四種圖像類型；臺灣萬山岩刻也擁有其中四種，但就圖像風格而言，與江蘇連雲港岩畫却是迥然相异；具茨山岩畫祇有凹穴、曲綫和格狀物；福建華安仙字潭岩畫雖然祇有人面與人形兩種，但福建其它岩畫點却多見凹穴與曲綫。

另外，東部岩畫還有一個突出特色是凹穴岩畫與其它圖像的共存，換言之，凹穴岩畫雖然是幾乎所有東部岩畫省區擁有的共同題材，但它總會與上述一個或多個類型的圖像伴生或共存。例如連雲港與赤峰岩畫是人面岩畫與凹穴伴生，具茨山岩畫是抽象綫條、格狀物與凹穴伴生，福建岩畫則人形圖像與凹穴伴生等。比較而言，東南沿海岩畫除上述這些圖像因素外，更多捲渦紋、波浪紋與船形紋，而自江蘇連雲港起向東北地區的岩畫則以人面、凹穴及綫條或格狀等內容爲主，寧夏銀川市的賀蘭口爲人面岩畫最爲密集的地區，這裏近年來也發現有排列井然有序的凹穴石塊。

3、東部岩畫系統的其它特質

一、製作手法絕大部分爲鑿刻或磨製（迄今爲止，僅在赤峰地區發現一處塗繪岩畫[30]）。

二、東部岩畫所刻岩石的朝向也頗多一致性，相當部分的岩刻被鑿刻或磨刻在山林之間的緩坡巨石上，岩石一般面朝天，呈水平狀態（連雲港、具茨山、赤峰的部分人面與凹穴伴生的岩畫點均如此，內蒙古烏海市人面岩畫點的環境大概是此類岩畫中最爲典型者），這與北部、青藏、西南諸系統多爲立面崖壁岩畫的情形有很大區別。

三、東部岩畫所處環境，基本上都能看到巨石遺址或天然石棚，表明岩畫與巨石崇拜之間存在密切關係，相當多的岩刻點，岩畫實際上就鑿刻在天然石棚內或石棚上。例如連雲港著名的將軍崖人面岩畫鐫刻在一塊巨大的呈圓形的緩坡狀整石上，巨石的頂部又有一個由三塊巨石人工搭建起來的石造祭壇，其中一塊石頭上便有深邃的"杯狀坑"。2009年9月末，筆者在具茨山岩畫考察過程中，也發現不少凹穴岩刻的所在岩石，看上去就像倒塌了的石棚，另外，在一個至今仍保持着典型石棚的遺址，朝天的巨石上便鑿刻着凹穴岩畫。同樣的情形在赤峰地區岩畫裏也有發現，翁牛特旗白廟子山的巨薯石（一塊孤立的巨石，形狀如同薯類，故名巨薯石），朝天的岩面斑駁不平，上面鐫刻了十九個大小不一、深淺不同的凹穴，岩石四周則刻畫着各種人面岩畫，其巨石崇拜的特徵十分明顯。至于廣東珠海寶鏡灣岩刻與巨石遺址完全吻合，那如同雷電劈開的巨石面上的岩刻，充滿了神秘的力量。值得注意的是同樣的情形也出現在韓國著名的石板墓文化裏，巨大的蓋石墓的頂部或磨刻出深邃的"杯狀穴"，或出現衆多不規則的凹穴岩刻。

四、由東部岩畫刻石的水平面與岩畫與巨石遺址或石棚的關係看，東部岩畫的表現題材與其它諸系統的最大區別在于其岩畫的符號化或抽象性特徵（即便是具像的人面圖案，其符號化的特徵也很明確），而這背後所蘊藏的是原始宗教祭祀方面的文化內涵，且圖像直接還原出宗教祭祀的內涵。關于凹穴岩刻的功能與目的，學術界尚無定論，有生殖崇拜圓穴説（性穴説）、星相圖説、棋格棋子説、雨石説、祭祀時盛血之杯説等等。不論早期族群製作它們是出于什麼樣的目的，其宗教祭祀的色彩都十分濃厚。人面岩畫更是如此，祖先崇拜、神靈面具、動物圖騰、生殖符號等等，衆説紛紜。

五、東部岩畫系統中，目前學術界認定年代最早的岩畫區域是江蘇連雲港岩畫群，這裏不僅有著名的將軍崖人面像、太陽神、稻穀神岩畫，還是凹穴岩畫分布最爲密集的區域之一。早在20世紀80年代初，考察了將軍崖岩畫點的考古學家俞偉超先生指出"這是一處重要的歷史遺存"，并推測"它不僅是目前發現的我國最早的一處岩畫"，還是原始時代東夷部落社祀的場所。2005年，北京大學考古學家李伯謙先生在考察將軍崖岩畫的現場再次強調，它的考古年代不會晚于7000年前，岩畫圖像不僅表明農業已經發明，還表明漁獵仍是經濟生活的組成部分，星相圖案則可能與曆法的起源有關[31]。一般認爲，連雲港古岩畫的族屬爲東夷早期部落，山東、江淮一帶的新石器時代大汶口和山東龍山文化屬于古東夷集團，目前也得到學術界的公認。東夷與其北部東北夷諸族群之間的交流關係，東夷族群與其南方長江下游與太湖地區百越民族的往來關係，早在新石器時代中期已經比較明顯，至于龍山文化與中原仰韶文化（豫中冀南等地）相互滲透與影響的關係，同樣也很突出，而這些相互的交流與融合，通過岩畫也得到了某種程度的印證。

　　4、東部岩畫的環太平洋文化視野

　　需要特別指出的是，中國東部岩畫系統中的人面與凹穴岩畫還是一個環太平洋的古老文化現象，這是一個十分值得注意的現象。有趣的是，環北太平洋岩畫文化的主要題材是人面、凹穴岩畫系列，而環南太平洋岩畫文化的表現母題則是捲渦紋、蛇紋與凹穴系列，兩者的共同點還是凹穴岩刻圖案。

　　關于環北太平洋的人面岩畫系統，宋耀良先生最近撰文指出，除了中國境內擁有的三大分布帶之外，在俄羅斯黑龍江流域、美國阿拉斯加島嶼，以及北美西北沿海岸向南一直延伸到北美中部也均有分布，説明人面岩畫同樣密集地分布于北太平洋兩岸，是一個環太平洋的古代文化現象。宋耀良認爲人面岩畫的淵源在中國，他曾對這個傳播過程有過這樣的描述："人面岩畫的傳播一定是一個非常驚心動魄的過程。具有鐫刻人面岩畫宗教文化需要的中國史前居民，先經由赤峰，沿着大興安嶺東麓，到達黑龍江；再沿江而下，在烏蘇里江河口和黑龍江下游，分別留下人面岩畫遺址；而後出海，在阿留申群島上，以跳島的方式，向美洲大陸前進。携帶刻有小型人面像的卵石，或就地製作此類圖像。當登上美洲西海岸時，又恢復了在山岩上製作人面岩畫的傳統。在沿海岸綫向南遷移至加州北部時，一路留下密集的人面岩畫。"[32]宋耀良強調，人面岩畫在北美的傳播路徑與傳播方式是"貼着海岸窄窄地在南北上下幾千公里内傳播的"。

　　至于環南太平洋諸島岩畫，除保持"圓坑或圈、圓渦、同心圓；人面和人像"等北美海岸岩雕的特徵外，則更多綫刻、圓渦、重圓、幾何文及多重綫條，另外圖像中雕有凹點或重圓，外圍刻輻射狀綫條，多人像與足印等，而這些圖像元素在中國臺灣萬山岩刻，香港、珠海、福建、江蘇連雲港等岩畫中也都可以找到[33]。

　　整個世界範圍内，原始岩畫遺存的數量之巨大，分布之廣泛，延續歷史之長久，均已證實岩畫是世界各個大洲早期人類遺留下來最爲龐大的文化遺產。據聯合國教科文組織最新統計，原始藝術99％以上的内容由岩畫構成，在早期實物遺存與文獻記載極度匱乏的情況下，岩畫無疑是還原早期人類精神與物質生活面貌的最重要的文化遺産門類之一。早在20世紀80年代，國際岩畫組織便已預言，岩畫將是21世紀最具有前瞻性與挑戰性的學科領域，作爲中國的岩畫研究工作者，我們期盼着學術界給予岩畫學以更多的關注，同時期希望更多的人參與到岩畫研究與岩畫保護的事業中來。我們相信，在不遠的將來，將會迎來中國岩畫研究的第二個高潮！

注釋：

① （意）Ｅ・阿納蒂《世界岩畫——原始的語言》，陳兆復譯文，載《岩畫》第一輯第6-7頁，中央民族大學出版社1995年版。

② （意）Ｅ・阿納蒂《世界岩畫——原始的語言》，陳兆復譯文，載《岩畫》第一輯第6-7頁，中央民族大學出版社1995年版。

③ （意）Ｅ・阿納蒂《世界岩畫——原始的語言》，陳兆復譯文，載《岩畫》第一輯第6-7頁，中央民族大學出版社1995年版。

④ 陳兆復：《古代岩畫》，20世紀中國文物發現系列叢書，文物出版社2001年版。

⑤ 陳兆復：《中國岩畫發現史》，上海人民出版社，上海：1991年。

⑥ 陳兆復：《古代岩畫》，文物出版社，北京：2001年。1995年蓋山林先生在《中國岩畫學》（書目文獻出版社，第81-84頁）一書中對中國岩畫的系統分類爲東北農林區、北方草原區、西南山地區與東南濱海區。雖爲四大區域，但東北農林區的岩畫少，似也未成體系，而其他三大區域的劃分，與陳兆復先生的分類也非常接近，因而，北方、西南與東南三大區域系統的劃分應當是比較一致的。

⑦ 陳兆復先生將西藏岩畫歸類于西南岩畫系統，將青海岩畫歸類于北方岩畫系統（見陳兆復：《古代岩畫》，文物出版社，2001年）；而蓋山林先生將青海與西藏岩畫均歸類于北方岩畫（蓋山林：《中國岩畫學》，書目文獻出版社，北京：1995年，第82頁）。

⑧ 駱越，名雖爲越，實屬僚系民族。汪寧生：《試論濮越不同源》，百越史第三次學術討論會提交論文，轉引自汪寧生《銅鼓與南方民族》，吉林教育出版社，長春：1989年，第118頁。

⑨ 蓋山林：《中國岩畫學》，書目文獻出版社，北京：1995年，第82頁。

⑩ 北狄之"狄"，最早見于文獻記載是在西周末年的《國語》。而"狄"作爲族稱，始見于春秋中葉之《春秋》，爲中原諸夏對北方一些部落的稱呼，并非該民族的自稱。王國維曾考證"狄"之本義，是由"遠"與"剔除"之義而引申爲"驅除之于遠方"之義。"狄"又有强悍有力、行動疾快等含義。《爾雅・釋獸》："麋…，絶有力，狄"。邢昺《疏》："絶异壯大有力者，狄"。鄭玄《注》："狄，滌，往來疾貌也。"

⑪ 蓋山林：《陰山岩畫》，文物出版社，1988年。

⑫ 青藏高原的苯教史大致分爲三個階段，第一階段即爲早期的原始苯教時期，藏語稱"篤苯"，其下限在吐蕃王朝早期（7世紀左右）。此一階段的苯教尚未建立系統的教義體系，但已形成祭天與君權神授結合爲政權服務的基本思想，是故創建吐蕃王朝的悉補野贊普世系，自出道之初，便迎請苯教大師在吐蕃傳教。據藏史載，贊普世系至藏王松贊干布之前，32代王均以苯教治國。第二階段爲"恰苯"階段，指七赤天王之後止貢贊普時期迎請的新的苯教。第三個階段爲"覺苯"時期，亦稱作翻譯苯教時期，開始于吐蕃王朝引進印度佛教，也是吐蕃王國內部"佛苯之爭"最爲激烈的時期，事實上，高度教理化的印度佛教，從一開始就得到了贊普王室的鼎力支持，苯教勢力雖然在吐蕃有長期的政治積纍，卻因缺乏完整的教義體系，加上其血腥的大量殺牲的習俗，很難成爲佛教的對手。爲了改變落後面貌，苯教徒開始利用佛教的教義體系與格式，建

立自己的教義體系，但這一行爲遭到吐蕃贊普的强烈斥責壓制，苯教的國教地位被佛教所取代，苯教的勢力遭遇重創，雖然最後一代吐蕃贊普朗達瑪上臺後采取了禁止佛教、抑佛興苯的策略，但已無法改變苯教的衰勢力，隨着吐蕃王朝的滅亡，佛苯同時陷入低谷。苯教通過學習與翻譯，最終建立起自己的教義體系，這一階段開始于公元8世紀，結束于公元11世紀。西藏古代岩畫中有大量早期苯教文化的內容，從考古年代看，岩畫中的苯教所反映的正是原始苯教在青藏高原最早萌芽與形成的階段，即"篤苯"時期。

⑬ 張亞莎：《西藏岩畫中的"鳥圖形"》，載《西藏研究》2006年第2期；《古象雄的"鳥圖騰"與西藏的天葬》，載《中國藏學》2007年第3期；又參照張亞莎：《西藏的岩畫》，青海人民出版社，西寧：2006年版。

⑭ 才讓太：《再探古老的象雄文明》，載《中國藏學》2005年第1期。

⑮ 藏語"羌塘"（藏北草原）指廣義上的藏北草原，包括西藏自治區北部的那曲地區、西部阿里地區的北部以及昌都地區的北部，另外還包括青海省青南藏族地區及青海省西部的大片藏族地區。狹義的"藏北"專指今天西藏自治區的那曲（黑河）地區。

⑯ Dr. Ahmad Hasan Dani：CHILAS: The City of Nanga Parvat（Dyamar）. Islamabad, 1983.

⑰ 早期對雲南滄源岩畫進行的石灰華測定、孢粉法結合新石器時代遺址的出土情況論證所做的結論，認爲滄源岩畫屬于距今2500–3500年前後的原始繪畫。轉引自范琛：《作爲區域文化資源的滄源岩畫研究》，世界圖書出版社，西安：2009年，第39頁。

⑱ 范琛：《作爲區域文化資源的滄源岩畫研究》，世界圖書出版社，西安：2009年，第44~45頁。

⑲ "大體説來，銅鼓本爲濮僚民族所創造和首先使用，後隨着濮僚民族與其他族系之融合，或由于文化上相互交流而逐漸爲其他系統民族所采用。這一變化，大抵是唐代以後之事。"汪寧生：《銅鼓與南方民族》，吉林教育出版社，長春：1989年，第127頁。

⑳ 汪寧生：《雲南滄源崖畫的發現與研究》，文物出版社，北京：1985年。

㉑ 參見陳兆復：《古代岩畫》，文物出版社，北京：2001年版。

㉒ "人面岩畫"的概念由學者宋耀良提出，他在《中國史前神格人面岩畫》（1992）裏指出中國的人面岩畫有三條分布帶：一條從內蒙古赤峰到閩臺；一條從赤峰沿華北平原、河套地區向西穿過騰格裏沙漠到弱水東岸；一條從黃河北部臨河沿南下，分布于賀蘭山；"而岩畫的發源地是在江蘇連雲港"。值得注意的是，時隔18年，宋耀良發表于《世界周刊》2009年10－4號上的《從中國到北美——人面岩畫千年旅程》上的説法似乎產生了一些變化，但東部與北部爲中國人面岩畫的分布區域、中國有一個人面岩畫系統的基本觀點沒有變。他仍然堅持中國人面岩畫爲一獨立的岩畫系統以及人面岩畫的三大分布帶。

㉓ 宋耀良：《從中國到北美——人面岩畫千年旅程》，載《世界周刊》2009年10－4號，第22頁。

㉔ 宋耀良：《從中國到北美——人面岩畫千年旅程》，載《世界周刊》2009年10－4號，第

22頁。

㉕ 2008年11月，河南新鄭黃帝故里文化研究會、北京大學環境科學與工程學院教授和中國科學院地質與地球物理研究所研究員周昆叔等人共同組成的具茨山岩畫考古調查課題組正式組隊進駐具茨山；經過近兩個月的踏勘考察，2008年12月末向河南省委彙報；2009年1月下旬在北京大學舉行具茨山岩畫彙報研討會；具茨山岩畫正式對外公布。

㉖ 高偉：《東方古星象岩畫研究》，南京出版社，南京：2009年1月，第72頁。

㉗ 高偉：《岩畫謎踪》，南京出版社，2008年。

㉘ 吳甲才編著：《紅山岩畫》，內蒙古文化出版社，呼和浩特：2008年，第11、16、19、49、100–105、111–113頁等。

㉙ 李洪甫：《李洪甫史志論集》，北京燕山出版社，北京：1991年。

㉚ 吳甲才編著：《紅山岩畫》，內蒙古文化出版社，呼和浩特：2008年，第190–193頁。

㉛ 高偉：《東方古星象岩畫研究》，南京出版社，南京：2009年，第183頁。

㉜ 宋耀良：《從中國到北美——人面岩畫的千年旅程》，載《世界周刊》2009年10－4期，第23頁。

㉝ 臺北縣政府：《岩雕·岩畫——史前藝術特展》，高業榮、許勝發、曾逸仁撰寫，臺北縣立十三行博物館出版，2009年3月，第17頁。

中國版畫發展概述

　　版畫，屬于繪畫的一個種類，但中國古代版畫又不同于一般的繪畫，因爲它并不單純是畫家的作品，而是畫家、刻工和印刷工三者共同完成的作品。這種藝術形式，是隨着雕版印刷術的發明而出現的。雕版印刷術，就是將文和圖反向鐫刻于木板或其他材質的板子上，然後在版上塗墨、覆紙和刷印，最終獲得文圖的複本。因爲雕版多用木板，所以用這種方法製作的版畫，又稱"木刻畫"。

　　中國古代版畫，由于它的可複制性，從出現到衰落一直都是一種實用美術。最早的版畫是佛教版畫，是利用版畫的"化百之便"，使更多信徒更加方便理解和接受佛教經典的含義；從宋代開始出現的科技、博物類圖書，配以插圖，使深奧的文字解釋變得更容易體會；明、清時期的戲曲小説書籍，更是幾乎每章都有多幅插圖，使讀者增加閱讀的趣味，加深對文字的理解和欣賞。

一、中國版畫的源頭

　　中國古代版畫是和雕版印刷的歷史相始終的，它雖然出現于隋、唐時期，但它產生的源頭要早很多。這個源頭分爲技術的和藝術的兩個方面。

　　1、技術方面的源頭

　　印刷是一種轉印複製技術，在雕版印刷出現之前，中國已經有更古老的複制技術存在，主要有印章鈐蓋和碑文拓印等，它們對木版印刷複製技術都有啓示作用。

　　印章起源于商代晚期，盛行于秦、漢，一直流傳至今。在没有紙或紙未通用前，簡牘、絹帛爲主要的書寫材料。簡牘更是日常書寫材料的大宗，在需要傳遞的重要公文或私人信件寫好後，將簡牘捲起，最外用空白簡片護封，寫上姓名、官職、收件地點或文件名，再以繩扎好。在結扎處放黏土製成的泥，將印章蓋在泥上，乾固後其他人就無法私下拆開，稱爲封泥。用于封泥的印章文字多爲反向陰文，蓋出的封泥就成爲了正向陽文。紙張出現後，簡牘逐步被淘汰，印章作爲封泥便演變成"封紙"，即在以若干張紙粘連成的文件接縫處蓋印，以防僞製，或在裝有文件的紙袋密封處加印，防止別人拆看。

　　印章的材質有銅、石、骨和木質等，一般文字較少。但在魏晋時期，道家流行一種印文爲符咒的大木印。晋代葛洪在《抱朴子・内篇》記載："凡爲道、合藥及避亂隱居者，莫不入山……入山而無術，必有患害……古之入山者，皆佩黄神越章之印，其廣四寸，其字一百二十，以泥封著所住之四方各百步，則虎狼不敢近其内也。"這種大型木印章，已近似于一塊印版了。

印章中有一種特殊的類型，稱爲"肖形印"，即在印面上鐫刻圖案，這些圖案包括四神、鳥禽、樹木、人物等，是早期的圖像複製形式，所以有研究者稱其爲最古老的"版畫小品"。大約在南北朝、隋、唐時，盛行過一種捺印佛教圖像的印模，也可以算作肖形印的一種。即將佛教圖案刻在印模上，依次在紙上輪番捺印。印模圖案多種多樣，既有在蓮臺上結跏趺而坐的佛陀，也有頭戴寶冠，偏袒撫膝而坐的菩薩，另有武士像、仕女像等。佛模有木製的、銅刻的，也有泥製的。

碑文拓印就是將凹下的石刻文字，通過拓印的方法，取得多量的複製品。拓印技術大約起源于南北朝時期，興盛于隋代，在隋代皇家圖書藏品中，就有歷代拓印品這一門類。拓印技術與雕版印刷共同點是産物供閱讀用，都是將大幅硬質平面材料上刻的字或圖像借用墨汁以壓力轉移到紙上。不同點是，石碑碑面文字刻成陰文正體，將紙放在碑面上，以墨在紙上捶擊，成品是黑紙白字；雕版版面文字則刻成陽文反體，將墨塗在版面上，再覆紙印刷，成品是白紙黑字。

2、藝術方面的源頭

漢代的畫像石、畫像磚，以及稍後興起的石刻綫畫，在刻印技藝和藝術表現手法上，對版畫的産生也有重要的啓示作用。

畫像石、畫像磚是指漢代附刻在建築、墓穴壁面及楣、楹、碑、闕上的裝飾性圖案，在我國的山東、河南、江蘇、陝西和四川等地多有出土和發現。畫像磚、畫像石表現的題材和内容十分廣泛，包括歷史典故、神話傳説、社會生活、動物圖案等。畫像石、畫像磚在畫面表現上把許多不同内容的情節置于一起，場面宏大，但不失條理，對時空的處理非常巧妙。在鐫刻手法上，畫像石、畫像磚的用綫，可見陰綫淺刻、陽綫鏤刻、陰刻陽刻相兼或半浮雕方式四種，并常見用網狀魚子紋和散布的點狀顆粒來填充綫條所構成的輪廓，給人以充實的感覺。

在魏晋南北朝時期，出現了以表現佛教題材爲主的石刻綫畫的繪畫形式，被廣泛應用于寺院和佛塔門楣、佛像臺座及背光的紋飾，也用來雕鐫大型佛畫。在鐫刻技法上，石刻綫描佛畫以陰刻爲主，有時也用陽刻，或陰、陽刻兼用，綫條纖細，與最初的版畫更爲接近。

二、中國版畫的起源

探討中國版畫的起源，首先需要瞭解中國雕版印刷的起源。

雕版印刷發明于何時，至今仍是有爭議的問題，但根據歷史文獻和考古資料判斷，應該是在隋、唐這一大的歷史時期内。這一時期，有兩個主要的社會因素促進了印刷術的發明。一是佛教的興盛，信徒衆多，這些信徒需要反復誦讀和抄寫佛經，以達到消灾納福的目的，這樣就有了複製大量佛經和佛畫的需求；二是科舉制度的推行，使讀書人大增，對儒家經典的需求也隨之增加。另外，雕刻技術、物質材料和圖文轉印等技術也已經成熟。在這樣的歷史背景下，雕版印刷術産生了。

1、唐代的版畫

隋代的印刷品，迄今未有實物發現。

唐代，雕版印刷術得到廣泛的應用，印刷品中包括陰陽雜記、九宫五緯、字書、小學和曆書等類圖書，但更主要的是佛經和佛畫，占了當時印刷品中的絕大部分。有一段文獻記載了唐代初期佛教版畫的流行情況，唐末學者馮贄《雲仙散録》卷五引《僧園逸録》載："玄奘以回鋒紙印普賢菩薩像，施于四衆，每歲五駄無餘。"玄奘貞觀十九年（公元645年）返國，麟德元年（公元664年）圓寂，所以他刻印普賢像應在公元645年至664年之間。每歲五駄，説明刊印數量之多，社會需要量之大，這是最早的、有較爲明確記年的版畫大量印製和散發的記載。唐代的版畫，由于年代久遠，并且經歷了唐末"會昌法難"的毁滅，能够遺存至今的數量非常有限，但是這些作品意義非凡，是輝煌的中國版畫歷史的開端。

1974年在西安柴油機械廠唐墓内出土梵文陀羅尼咒單頁印刷品，出土時置于死者佩帶的銅臂釧（臂鐲）中，已殘破。印刷品呈方形，以麻紙印成。印紙中央有空白方框，其右上角有竪行墨書"吴德（冥）福"四字。方框外四周印以持明密宗典籍中的梵文陀羅尼咒文，四面皆十三行，印文四邊圍以邊框，間飾蓮花、花蕾、法器、手結印契等，版框外圍印以羂索。此經咒供生者和死者佩帶，起護身作用。這幅經咒的印製時間應爲唐太宗後期至唐高宗前期。

1975年在西安冶金機械廠唐墓内出土梵文陀羅尼咒單頁印刷品，印刷品呈方形，中央框内爲一立佛和一跪姿供養者，人物施彩。框外四周繞刻漢文經咒，外欄刻各種手印。經咒文字殘缺，經名存《佛□□□□得大自在陀羅尼神咒經》，即《佛説隨求即得大自在陀羅尼神咒經》，此經爲寶思惟譯于武周長壽二年（公元693年），唐肅宗乾元元年（公元758年）不空據梵本重譯，易名《普遍光明清净熾盛如意寶印無能勝大明王大隨求陀羅尼經》，從此寶思惟的舊譯本不甚流行。所以此幅經咒印製時間上限爲公元693年，下限應爲公元758年或其後數年。

1944年發現于四川成都市望江樓唐墓中的《陀羅尼經咒》，正中爲菩薩八臂執法器坐于蓮座上，菩薩四周繞刻梵文經咒，外欄間刻菩薩像及法器。印本右側刻題"成都府成都縣龍池坊……近卞……印賣咒本"一行。此經咒爲唐至德二年至大中四年（公元757–850年）成都卞家刊刻。

唐代版畫遺存中，最重要的作品是1900年發現于敦煌莫高窟藏經洞的唐咸通九年（公元868年）刊印的《金剛般若波羅密經》扉頁畫。本圖所繪爲佛祖在祇園爲須菩提長老說法情形。圖左上方刊有"祇樹給孤獨園"，下方刊"長老須菩提"，用以標明圖意。此卷由七頁紙粘綴而成，經、圖皆保存完整。卷末有"咸通九年四月十五日王玠爲二親敬造普施"刊記，被公認爲是現存有確切刊印日期的最早的雕版印刷品。

2、五代十國的版畫

五代十國時期，是中國歷史上一個大動蕩、大分裂、大混亂的時期。自公元907年至960年，在短短的53年内，我國南、北方先後出現了十多個政權。這種大混亂的局面，在版畫史上也有反映，表現在刊刻地域上的不平衡。中原地區抑佛、反佛事件屢有發生，公元955年周世宗柴榮下令滅佛，毁佛寺三千餘所，占其轄境内寺院總數的百分之九十以上，佛像經卷幾乎全被毁弃。由于此時期的版畫仍以佛教版畫爲主，所以使得五代時期中原地區的版畫遺物幾乎無存。現在所見五代十國的版畫遺存出自邊陲河西的瓜州（亦即敦煌）和東南的吳越。

五代十國時期所遺版畫，雖然數量仍極少，但比起唐代來還是要多一些。

敦煌藏經洞發現的《大聖毗沙門天王像》，獨幅雕版佛畫，雕印于後晋開運四年（公元947年）。圖中天王由地神雙手托起，頂盔貫甲，右手持長戟，左手托寶塔，身右繪手捧果盤的辨才天女，左繪一童子及一羅刹。下鑴文字題"弟子歸義軍節度史特進檢校太傅譙郡曹元忠請匠人雕此印板"和"于時大晋開運四年丁未歲七月十五日記"。

敦煌藏經洞發現的《大慈大悲救苦觀世音菩薩像》，獨幅雕版佛畫，亦雕印于後晋開運四年，同爲鎮守敦煌的長官曹元忠施刊。圖中觀世音赤足踏于蓮花上，飄逸的長帶自雙肩繞過兩臂，作波浪紋垂于足下。像右題"歸義軍節度史檢校太傅曹元忠造"，左題"大慈大悲救苦觀世音菩薩"。圖版下半部刊有雕印緣起的長題，末署"匠人雷延美"，是現存最早的一幅刊刻時間、地點、施刊人、刻工姓名完整的古代版畫作品，雷延美是迄今已知世界上第一位在自己的作品上留名的版畫雕刻工匠。

這類獨幅雕版佛畫，大都是信徒還願時所施的供養受持籤，可以用來張貼，也可以隨身携帶，在當時非常流行。可見，中國古代版畫，從一開始就是以兩種形式出現的，一種是用作書籍的插圖，另一種爲供膜拜或欣賞的獨幅作品。

在南方的一些割據政權内，如南唐、後蜀、吳越、閩等國，佛教極爲興隆。但論及版畫的刊刻，却祇有吳越一地留有遺存。

吴越（公元907—978年）占據今浙江全省及蘇南一帶，極盛時勢力及于福州。吴越諸王，皆崇信佛教，而尤以忠懿王錢弘俶爲最。他在位期間，共建塔八萬四千座，重修西湖靈隱寺，建永明禪寺（即今杭州净慈寺），對于佛教版畫的刊施，他也是躬親其務，表現出極大的熱情。錢弘俶施刊的佛教版畫有考古實物發現，皆爲《一切如來心秘密寶篋印陀羅尼經》的卷首扉畫，此佛經先後有數次發現。其一爲1917年湖州天寧寺石幢象鼻内首次發現數卷，卷首扉畫右側有題記"天下都元帥吴越國王錢弘俶印《寶篋印經》八萬四千卷，……顯德三年丙辰歲記"。吴越立國始終，一直尊中原王朝爲正朔，顯德爲周世宗年號，顯德三年即公元956年。其二爲1924年杭州西湖雷峰塔倒塌，發現有黄綾包裹的《寶篋印經》，題記則爲"天下兵馬大元帥吴越國王錢弘俶造此經八萬四千卷，捨入西關磚塔，永充供養"，刊刻時間爲"乙亥八月"，已經是宋太祖開寶八年（公元975年）了。西關磚塔，即雷峰塔，錢妃黄氏所建，卷首扉畫所繪即爲黄妃拜佛情景。其三爲1971年11月在浙江紹興城關鎮物資公司工地出土金漆塔一座，内發現藏經一卷，卷首刊記"吴越國王錢俶敬造《寶篋印經》八萬四千卷，永充供養"，刊刻時間署乙丑，即宋太祖乾德三年（公元965年）。扉畫亦爲黄妃禮佛圖，構圖略有不同，鎸刻遠較雷峰塔所出爲精。比較以上三次出土，可知這是一次大規模的佛教版畫刊施，而且是在吴越政府的直接主持下進行的，從時間跨度看，至少延續了近二十年。扉頁畫的不同，説明所用并不僅是一塊版片，而是在不斷的完善和改進中。其用心之誠，用力之勤，已經到了無以復加的程度。

三、中國版畫的發展

兩宋、遼、西夏和金代是中國古代版畫的發展時期。

1、宋代的版畫

北宋時期，國家重新統一，社會經濟高度發展，各種手工業技術得到很大的提高，偉大的活字印刷術就發明于此時。而且由于活字印刷術的發明，增加了圖書的刊印數量，促進了印刷業的發展。廣大民衆的文化生活更加活躍，出現了大量的民間通俗文學作品，對印刷業的發展也起了很大的作用。兩宋時期，官刻、私刻、坊刻三大刻書系統都非常興盛，并且刻書地域遍布全國，著名的有汴梁（今河南開封）、臨安（今浙江杭州）、福建的建陽和四川的眉州等地。書籍的種類也大大豐富了，除了宗教典籍以外，經史、醫學、建築、畫譜和圖册等也有大量刊印。

隨着印刷業的興盛，中國版畫迎來了一個大發展的時期。由于書籍的刊印數量增大、種類增多，所以刻工隊伍也在壯大，在不斷的生產實踐中，他們的技藝更加高超，對紙和墨等印刷材料要求更加嚴格，所以刊印的版畫也就更精美，顯現出較高的藝術性。

（1）佛教版畫

雖然兩宋時期書籍附有插圖的漸多，但是佛教版畫的刊刻無論是數量還是質量，都是其他題材版畫遠遠不及的。佛教經圖的刊刻有幾個特點：一爲從政府到民間都樂于此事；二爲僧侶施刻經圖，意義在廣結善緣，所以不惜工本，製作精良。兩宋時期遺存的佛教版畫，數量大，題材豐富，形式多樣，繪刻精美。

北宋開寶四年（公元971年），官府派專員從汴梁前往益州雕大藏經版，太平興國四年（公元979年）雕成。據《北山録》及《佛祖歷代通載》等書所記，所雕經版逾十三萬塊，總卷數達六千六百卷。這就是北宋刊印的第一部大藏經，因其于開寶年間始雕于四川成都，故又稱《開寶藏》或《蜀本大藏經》。不過，這部規模宏大的佛典今日祇見零星散本。現存此經《御製秘藏詮》所附《講經圖》版畫，就是《開寶藏》爲數不多的遺珍之一。此圖繪有高僧在山水之間爲僧俗人等講經畫面，是現存最古老的山水版畫。

除官刻《大藏經》以外，還有私刻經藏，最著名的是《磧砂藏》的雕刊。南宋寶慶、紹定年間（公元1225－1228年），蘇州僧侶在平江府陳湖磧砂延聖院設立大藏經局，信衆捐資助刊，始雕于南宋紹定四年（公元1231年），完成于元至治二年（公元1322年），歷時91年。每種經前皆有卷首畫，畫面繪刻佛、菩薩數十人，構圖飽滿，紋飾繁密，人物造型有印度梵畫遺風，但形像富于變化。《磧砂藏》雕印時間跨度大，畫題"陳升畫"、"陳寧刊"者，當爲南宋作品。

獨幅佛畫的雕印，因更適用于信徒供養或隨身携帶，歷來都受到佛畫刊刻者的青睞。1954年，在日本京都清凉寺釋迦瑞像中，發現了北宋雍熙年間（公元984—987年）雕印的《彌勒佛像》、《文殊菩薩》、《普賢菩薩》和《靈山説法圖》四幅作品。前三幅作品風格一致，規制相同，應是供信士、僧侶供養之用的一堂組畫。其中《彌勒佛像》一幅，左上角題"越州僧知禮雕"，知禮爲天臺名僧，右上角題"待詔高文進繪"，高文進爲四川成都人，宋太宗時任畫院待詔。知名畫家爲版畫創繪畫稿者，高文進爲第一人，也説明了佛教版畫在當時畫壇上的地位。

發現于敦煌藏經洞的《大隨求陀羅尼曼荼羅》，是北宋獨幅雕版佛畫中最著名的一幅。圖中刻八臂觀世音菩薩，外圈繞梵文十九行，四周刻神將、金剛杵等。左上榜題"王文沼雕"，題記有"太平興國五年六月二十五日雕版畢手記"。王文沼是繼雷延美之後，迄今已知第二位在作品上留名的工匠。

《佛國禪師文殊指南圖贊》，上圖下文，全卷繪有善才童子五十三參圖各一幅，佛國禪師圖一幅，共五十四圖。卷尾題"臨安府衆安橋南街東開經書鋪賈官人宅印造"。此圖爲南宋刻本，是現存早期的佛教版畫組畫。

（2）圖書插圖版畫

宋代版畫的興盛，除了佛教版畫的數量增多之外，更主要的是附有插圖的圖書種類更加廣泛，經、史、子、集及技藝、醫書、雜類等都附有插圖，還出現了以圖爲主的圖解類圖書。

經史圖書有些還特別標明"纂圖互注"，如《纂圖互注毛詩》、《荀子》、《尚書》和《南華經》等。《纂圖互注荀子》二十卷，卷首有三幅插圖，上圖下文，以圖釋文中之意。

醫學和自然科學圖書中的插圖，明白準確，對文中難解之處有直觀的表現。《武經總要》是一部軍事技術百科圖書，出版于北宋慶曆四年（公元1044年），書中有插圖二百餘幅。《營造法式》是建築技術專著，雖原本無存，但從後來的翻刻本可知書中有大量建築工程圖樣。南宋嘉定四年（公元1211年）刊刻的《經史政類備急本草》三十一卷，是藥物學專著，書中插圖準確而精美。

還有一類圖書是以圖爲主的圖解式圖書。北宋宣和三年（公元1121年）的《宣和博古圖》，描述宋代皇宮在宣和殿所藏商周、秦漢以來古銅器八百三十九件、銅鏡一百一十三件，是當時古器物集大成之作，每圖皆據原件摹繪而成，并加以説明。《三禮圖》是有關古代服飾、風俗、起居和器物的重要圖解資料，現有淳熙二年（公元1175年）刊本，内有大小插圖三百七十七幅。

在版畫史上更值得一提的是《梅花喜神譜》，繪編者爲畫家宋伯仁。"喜神"爲傳神寫照之意，《梅花喜神譜》即梅花寫生畫譜。此譜按蓓蕾、小蕊、大開、爛漫、欲謝等描繪成圖百幅，附榜題與題詩。現存有南宋景定二年（公元1261年）金華雙桂堂重刊本，是最早的一部畫譜。

2、遼、金、西夏的版畫

遼、西夏、金是先後與宋王朝相對峙的北方民族王朝，雖然在政治上對立，但在文化上却互有影響，這三個王朝的雕版木刻印刷術也相當發達。

（1）遼代的版畫

遼代的版刻事業極爲興盛，遼南京燕京（今北京）就是當時北方最重要的刻書中心之一。但是，由于宋、遼互爲敵國，兩國正常的文化交流被阻隔，所以傳世的遼代印刷品極爲罕見。但是在1974年7月搶修加固山西省應縣佛宮寺釋迦塔時，在塔内主像中發現了大批遼代刻本佛經及佛畫等文物，使我們有機會瞭解遼代偉大的藝術成就。

此次發現的佛典刻本，共有六十一件，有官刻的大藏經《契丹藏》，也有私刻的如《妙法蓮華經》等。《契丹藏》僅存十二卷，其中附刻有扉畫的有《大方廣佛華嚴經》卷四十七、《大法矩陀羅尼經》卷十三、《中阿含經》卷第二十六和《佛說大乘聖無量壽決定光明王如來陀羅尼經》一卷，共四卷。《契丹藏》全藏共五百七十九帙，可以想象版刻佛畫數量應該是很大的。很多私刻佛典留有刻工姓名，如《妙法蓮華經》卷第四扉畫右上角，刊署"燕京雕曆日趙守俊并長男次弟同雕配"， 證明遼時的燕京有一支技藝精湛、人數眾多的刻工隊伍，父子相傳、兄弟相繼，世代以此爲業。刻工皆爲漢人，也反映了遼對漢文化的認同。

　　釋迦塔中所出獨幅雕版佛畫共有六幅，其中《熾盛光佛降九曜星官房宿相》和《藥師琉璃光佛說法圖》，皆爲高87.5厘米、寬35.7厘米的大幅圖像，構圖飽滿，氣勢宏闊，是我國古代版畫遺存中規制最大的作品。這種大圖本來是木版雕印的墨綫白描圖畫，雕印完工後用筆彩着色，而成彩圖。圖上部用墨印連綫紋紙裝裱，説明此類佛畫是用于懸掛供養的立幅卷軸形式。

　　釋迦塔內發現的遼代版畫，最著名的是彩色《南無釋迦牟尼佛像》。圖繪釋迦坐于蓮臺上，頭頂上部有華蓋，佛前陳條案，擺放摩尼寶珠。兩側侍立諸天菩薩，化生童子各一人居于圖下部左右兩方，兩側飾折枝花朵，有繽紛花雨灑落。圖印于絹上，原折疊存放于塔內的一隻六曲銀盤中。像以夾纈法製成，即取兩版雕刻同樣的圖案，以絹、布對折夾入兩版之間，在雕空處染色，成爲對稱的紋飾。此像先後以紅、藍兩色做兩次套成，佛臉部眉眼口鼻及衣領等處以筆作勾描。在中國古版畫遺存中，這是唯一由色塊組成，而非綫條勾勒的作品。此像刻于遼統和二十一年（公元1003年），是現存世界上最早的彩色套印版畫。

　　（2）金代的版畫

　　金滅北宋，占領了北方大部分地區，積極吸收中原文化，倡導佛教和儒家思想，組織刻印各類書籍。金代的刻書中心有中都（今北京）、南京（今開封）和平陽（今臨汾）。

　　金刻佛教版畫，最著名的就是解州天寧寺所刊大藏經扉頁畫，此藏于1936年在山西趙城縣廣勝寺發現，故稱《金藏》或《趙城藏》。《趙城藏》全藏共六千九百餘卷，今存四千五百四十一卷，各卷扉畫皆同，用同一版片輪番施印，所刻爲釋迦說法圖。用陰刻粗綫條技法處理袈裟貼邊，衣紋的轉折及立體感明顯，并兼具裝飾效果。

　　1908年在黑水城（今內蒙古自治區額濟納旗）出土兩幅金代的版畫，一爲《關羽像》，一爲《四美人圖》。《關羽像》畫題"義勇武安王位"，應是神位供奉之用，刻有"平陽府徐家印"。《四美人圖》畫題"隨朝窈窕呈傾國之芳容"，繪美人王昭君、班姬、趙飛燕、綠珠四人，刻有"平陽姬家雕印"，爲懸壁觀賞之用，是早期仕女版畫的代表作。

1973年陝西歷史博物館在整修西安碑林《石臺孝經》時發現一版畫，被命名爲《東方朔偷桃圖》。版畫原題唐畫家吳道子繪，畫面由濃、淡墨及淺綠三色印在淺黃色麻紙上，爲12世紀初印于金代的平陽府。

（3）西夏的版畫

西夏是党項（羌族的一支）人建立的王朝，崇武好戰，但西夏諸帝及後妃，對佛教皆極爲崇信。李元昊皇后没藏氏篤信佛教，曾出家爲尼。每逢國家吉慶或喪葬大典，帝后必大設法會，刊施佛經佛畫，動輒數萬至一、二十萬卷。有資料統計，現存西夏版畫有一百三十四種。

西夏佛教經圖最重要的發現，是公元1908年俄國大佐柯斯洛夫在内蒙古南部黑水城遺址進行的發掘，在城中一座廢寺的佛塔中擺滿了寫本和印本經典。黑水城發現的佛經佛畫到底有多少，至今仍未見到確切的統計。1991年在寧夏賀蘭山拜寺溝出土兩件獨幅西夏版畫，畫面呈塔幢形，由寶蓋、塔身、底座三部分組成，頂吉尊勝佛母坐于塔中，帷幔上有梵文六字真言。

西夏文化受中原文化影響，同時也受吐蕃文化的影響，所以西夏版畫有兩種風格，兩種風格自成體系。

3、多色版畫的起源

早期版畫都是以墨汁爲着色劑的單色版畫，爲了獲得更好的觀賞效果，就需要在畫面上增加更多的色彩。在唐和五代十國時期，人們常在版畫輪廓内手工添上二三種或多種顏色，同一顏色還可能有濃淡之別，但手工填彩需逐張處理，耗費很多時間和人力。

使單色印刷品呈現多色的另一方法，是將不同色料刷在同一印版的各個部位，再一次印在紙上，此即單版多色印刷。最初是紅、黑二色，後來增至三四種顏色。此法顯然比手工添色便捷，缺點是在各色交接處易相互滲透而發生變色，且不能印三四種以上顏色，而手工添色可在任何部位添任何色。兩種方法各有短長，長期并存。單版多色印刷至遲在北宋（11世紀）即已處于實用階段。宋代繪畫史家郭若虚（公元1039-1095年在世）在《圖畫見聞志》卷六寫道："景祐初元（公元1034年），上（宋仁宗）敕待詔高克明等圖書三朝（太祖、太宗、真宗）盛德之事，人物才及寸餘，宮殿、山川、鑾輿、儀衛咸備焉。命學士李書淑等編次、序贊之。凡一百事，爲十卷，名《三朝訓鑒圖》。圖成，復令傳模，鏤板印染，頒賜大臣及近上宗室。""復令傳模，鏤板印染"應是彩色印刷而成，這部內府印的彩色圖版書沒有流傳下來，用了幾種顏色印出難以斷定，但是參考西安碑林發現的《東方朔偷桃圖》金代遺物，顏色可能不超過三種。

中國版畫經歷了單版單色印刷到單版多色印刷，再到多版多色印刷或套色印刷這三個階段。宋、遼、金時代開創了多色印刷的新局面。

四、承前啓後的元代及明代前期版畫

1、元代的版畫

北方草原的蒙古汗國于至元八年（公元1271年）建立了元帝國，于至元十六年（公元1279年）滅了南宋，統一了南北。蒙古族雖爲尚武的少數民族，但在治國之道上學習儒法、重視文治，所以唐、宋以來蓬勃發展的雕刻印刷，并沒有停滯或倒退，在一些方面還有了進步。元代北方的印刷中心仍延續金代的中都和平陽，南方則繼承了建陽和南宋臨安的傳統。

（1）三教版畫

元代統治者對宗教采取寬容的政策，佛、道、儒三者并尊，共同發展。

元統治者最重視佛教，并十分重視釋氏畫的創作，在宮中設"梵像提舉司"，列釋氏畫爲畫工十三科之先，爲佛教版畫的創製提供了良好的藝術環境。元刊《大藏經》，有續雕南宋的《磧砂藏》、雕印于杭州路大普寧寺的《普寧藏》、雕印于杭州路大萬壽寺的西夏文《河西字大藏》等，每經卷首多附卷首畫，題材一般爲佛說法內容，畫面追求圖案裝飾效果，鏤刻精細。單刻佛教經籍中所附版畫也不乏構圖上乘、鐫刻精良的佳構。如至順二年（公元1331年）嘉興路興縣顧逢祥、徐振祖捨資施刻的《妙法蓮華經》，扉畫鐫刻極爲工緻，畫面右半部繪刻佛說法圖，左側則繪刻"塵世"佛法隆盛的情形，把佛的世界和現實世界巧妙而緊密地結合在一起。

元代佛教版畫中，有兩件作品特別值得注意，一是《圜悟禪師語錄》，另一是《金剛波羅密經注釋》。《圜悟禪師語錄》一書，大德二年（公元1298年）刻于成都覺昭寺，前冠"圜悟禪師頂相"，圜悟禪師手持拂塵居中而坐，右立徑山杲禪師，左立虎丘隆禪師，構圖層次分明，是中國古代版畫史上現存最早的肖像版畫。無聞和尚注《金剛波羅密經注釋》，至元六年（公元1340年）由中興路（今湖北江陵）資福寺雕印，卷首繪無聞和尚解經情形，圖中天降祥瑞，生出三朵靈芝。注經圖和經解分別朱、墨二色印製，是單版雙色印刷的典型作品。

道教的圖書，現存有大德九年（公元1305年）耶律楚材等編的《玄風慶會

圖》，是北方版畫的大作，場面大，人物多，藝術處理主題突出。

儒家思想作爲宗教被推崇，孔子也被尊爲教主。蒙古乃馬真后元年（公元1242年）刊刻《孔氏祖庭廣記》，插圖十二幅，太學生馬天章畫；至大二年至泰定元年（公元1309–1324年）刊刻的《新刊標題句解孔子家語附素王事紀》，卷首有孔子畫像。以上兩書都是宣揚孔子事迹之作。《新刊全相成齋孝經直解》十八章十五合頁，至大元年（公元1308年）刊于湖廣的永州，插圖十五幅，宣揚儒家行孝思想，繪工精緻。

還有一件非常有意思的《新編連相搜神廣記》，刻于至正年間。此書把孔子、老子、釋迦牟尼三尊列入一圖，各教諸神也混于一堂，從版畫中可瞭解當時宗教信仰的狀況。

（2）日用生活圖書版畫

最早的非宗教類圖書版畫是《重修政和經史證類備用本草》插圖，刻于蒙古定宗四年（公元1249年），爲金代張存惠"晦明軒"的翻刻本，刻工爲平陽府姜一，說明元早期的圖書刊刻利用了金代最好的工匠。此書是現存最早的古代醫藥和動植物版畫圖譜。《纂圖增新群書類要事林廣記》由南宋末年陳元靓編纂，後代各書坊在刊行時均有時代性的增補，現存元刊本爲至元六年（公元1340年）建陽鄭氏積誠堂刻本。此書爲民間日用小百科全書，插圖詳明，記錄了當時社會的風俗習慣和生產生活場景。

（3）平話戲曲版畫

中國的小說版畫插圖，肇始于《古列女傳》，傳有北宋嘉祐八年（公元1063年）建陽余靖庵勤有堂刊本，雖然此作品年代還存在爭議，但應不晚于元代初期，插圖形式爲上圖下文式。元代至治年間（公元1321–1323年）建安虞氏刊印《全相平話五種》，是中國現存最早的話本小說。這五種平話包括《全相武王伐紂平話》、《樂毅圖齊七國春秋》、《全相秦并六國史話》、《全相續前漢書平話》、《新全相三國志平話》。所謂"全相"，即指此書爲連續性的插圖本，插圖數量大，情節首尾相接，類似後世的連環畫。五部平話共有插圖二百二十八幅，爲上圖下文兩面連式，一面之中，文占三分之二，圖占三分之一。插圖既說明文中內容，又帶給讀者很形象的場面，這種表現形式給後來的戲曲小說插圖以很大的影響。《全相平話五種》扉頁題有"建安虞氏新刊"和"至治新刊"字樣，刻工題記有"樵川吳俊甫"和"黃淑安刊"，是元代建安版畫的代表作。

1980年中國書店在一部《通志》的書皮中發現了元末刊本《新編校正西廂記》殘卷五面，間有插圖一幅半，插圖爲單面方式圖，完整保存下來的一幅題"孫飛虎升帳"，另半幅標目無存。這是現知最古老的戲曲版畫。

2、明代前期版畫

明代版畫的發展可以分爲前、後兩期來研究，洪武至隆慶爲前期。

公元1368年，朱元璋推翻了元的統治，結束了元末的大混亂局面，建立大明王朝，定都于南京，建元洪武。

明前期的版畫藝苑中，題材多樣化趨勢更爲明顯，但佛教版畫依然是占主導地位的品類。洪武、永樂、洪熙、宣德四朝的版畫遺存中，佛教版畫數量最多，繪鐫也最爲精美。洪武時所遺版畫不多，主要有洪武二十四年（公元1391年）刊刻的《七佛所説神咒經》，扉畫五面連式，繪鐫皆精；二十八年（公元1395年）刊《觀世音菩薩普門品經》，有"京都應天府沙福智刊經"牌記，署"金陵陳聲刻"，有圖四十一幅，是一部大型的佛教版畫連環畫，繪刻工麗綿密，精妙絶倫，爲明前期佛教版畫的典範之作。佛道書《天竺靈簽》，爲杭州衆安橋楊家經坊刊本，梵夾裝，以厚黄紙雙面印，圖亦粗略不堪，祇能説僅據其形而已。這一方面反映出洪武時兵戈初定，民間物力的艱難，一方面也説明當時坊肆所刊佛畫，還遠未恢復到宋、元盛時的水平。

明永樂時，佛教版畫則取得了極爲輝煌的成就，其間内府刊印的大量佛經，如永樂九年（公元1411年）刊《聖妙真實吉祥名經》，十年（公元1412年）刊《大悲觀自在總持經咒》，十七年（公元1419年）刊《妙法蓮華經》、《大乘妙法蓮華經》，十八年（公元1420年）刊《彌陀往生净土懺儀》、《佛説四十二章經》，二十一年（公元1423年）刊《金光明經》、《御製金剛般若波羅密經集注》等，都冠有極爲精美的扉畫，其中不少作品，很可能是由宫廷畫師高手所繪。寺院、私人、民間刊刻佛經，亦有出色者，如鄭和施刊的《佛説摩利支天經》，卷首所冠摩利支天菩薩像極具神采；永樂年間刊《金剛經》，前冠有《鬼子母揭鉢圖》，十面連式，畫面之繁複精麗，已經到了無以復加的程度。從藝術表現手法和審美價值看，永樂時的佛教版畫，構圖飽滿，布局細緻繁縟，却毫無擁擠板滯之感，佛、菩薩的人性化體現得更加明顯，在藝術效果上已經超越了宋元，進入一個新的境界。

此外，明前期的道教版畫，也有些不錯的作品。明初刊刻的《道學源流》，圖繪道家聖賢像，皆自石刻綫畫摹寫，蒼勁古樸，頗有韵味。其他如宣德元年（公元1421年）北京刊《太上靈寶天尊説消灾度厄真經》，宣德間刊《天皇聖道太清玉册》、《許旌陽事迹圖》，正德間刊《武當山玄天上帝訓》，天順間刊《老子道德經》等，都有精緻的版畫。《正統道藏》所冠扉畫，富麗精工，氣勢恢弘，是道教版畫中的代表作。

明宣德後，版畫藝苑格局發生變化，儘管這時宗教版畫仍占相當比重，其他題材版畫也逐漸勃興。明宣德前，非宗教版畫僅有明初刊《考古圖》、《全相二十四孝詩》等寥寥數種，宣德後，則開始出現題材多樣化的趨勢。以戲曲、小説版畫爲例，出現了宣德十年（公元1435年）金陵積德堂刊《金童玉女嬌紅記》，每半葉配單面方式圖一幅，共有圖八十六幅，是對宋、元流行的上圖下文版型的大膽變革。1967年在上海嘉定明代宣姓墓中出土的《新編全相説唱花關索出身傳》、《新編全相説唱石郎駙馬傳》等説唱詞話十種，另南戲《劉知遠還鄉白兔記》一種，除《花關索出身傳》爲上圖下文，猶存宋元古型外，其餘皆爲單面方式圖，共八十六幅，是建國以來戲曲小説版畫的最大一次發現。弘治十一年（公元1498年）北京金臺岳家刊本《新刊大字魁本全相參訂奇妙注釋西廂記》，是現知完整保存下來的最早的《西廂記》插圖本，説明明代前期北方戲曲版畫亦有過一段較爲繁榮的局面。

明宣德之後版畫題材的日漸豐富，還體現在人物、方志、軍事、科技以及經史文集插圖本的逐漸增多上，且不少題材都是具有開創性的。如正統九年（公元1444年）刊《聖迹圖》，爲孔、孟聖迹圖的祖本；成化刊《歷代古人像贊》，所繪人物上起伏羲，下迄黃山谷，是存世最早的版畫人物圖像集；吳旦所刊《石湖志》，則爲方志類書有版畫的早期刊本之一；軍事著作有正德年間重刊宋紹定本《武經總要》，嘉靖四十二年（公元1563年）刊《籌海圖編》；生活用書有景泰七年（公元1456年）內府刊《飲膳正要》；醫學書如正德十年（公元1515年）山西刊《銅人針灸圖》、《西子明堂灸經》等；農業書有嘉靖九年（公元1510年）山東布政使刊《農書》；考古書有嘉靖間金臺汪氏刊《宣和博古圖錄》等；畫譜則有宣德時的《竹譜》、嘉靖間刊刻的《高松畫譜》，同爲宋《梅花喜神譜》之後刊刻較早的木版畫譜佳構。

通過以上介紹，可以看出明嘉靖、隆慶間，非宗教版畫成爲版畫藝苑主流的趨勢已十分明顯，但這并不是説佛教版畫刊刻少了，而是其他題材版畫凸顯出了欣欣向榮的生命力。而且，隨着市民文化的發展和書業的繁榮，這種發展和變化是必然的，它也必然帶動版畫藝苑出現質的繁榮和飛躍。

五、輝煌鼎盛的明代後期版畫

明代後期指萬曆至崇禎，間歷泰昌、天啓，歷時七十餘年，是中國古代版畫最爲輝煌的時期。萬曆時期（公元1573–1619年），是中國古代版畫史的一個分水嶺，其間小説、戲曲版畫取代宗教版畫，成爲版畫藝苑中最鮮艷奪目的奇葩。其他各種題材版畫，亦涌現出大量的名作佳構。其時書坊林立，刻家蜂起，全國兩京十三省，已經到了無地不刻書、無書不有圖的地步。同時，由于刊刻地域的不同，各地版畫形成了鮮明的地方特色，形成了建安派、金陵派、徽派三大版畫藝術流派，武林、吳興、蘇州等地版畫，亦呈方興未艾之勢，明代版刻藝苑出現了百花齊放、推陳出新的大好局面。如果説元代及明前期是一個過渡時期的話，那麽萬曆時期就是過渡期後中國古代版畫史上真正的黃金時代。

1、 各具風采的版畫流派

（1）建安派版畫

福建建安是中國古代著名的書業中心，在明代的三大版畫藝術流派中，以建安版畫歷史最爲悠久。"建本"先後有兩個雕印中心，宋、元時書坊多集中于建安，入明後漸衰，鄰近的建陽書業大盛。由于兩地所刊版畫風格無異，故統以"建安派"名之。宋代余靖安刊《古列女傳》，元至治年間建安虞氏刊《全相平話五種》等，都是建安版畫的早期名作。明萬曆時，建安版畫繼承宋元及明代初、中葉的優良傳統，版畫鐫刻極爲興盛，不僅數量大，題材亦極爲豐富，舉凡經史圖書，詩詞文集，方志類書，軍事海防，佛典道經，醫卜雜著無所不包，而尤以小説、戲曲爲大宗。建陽余氏雙峰堂、三臺館、萃慶堂、存慶堂、克勤齋，熊氏忠正堂、誠德堂、種德堂，劉氏喬山堂，楊氏清白堂，鄭少垣聯輝堂，都刊行有大量小説、戲曲插圖本，如《三國志傳》、《水滸志傳》、《東西兩晋志傳》、《大宋中興岳王傳》、《天妃出身傳》、《達摩出身傳》以及《西廂記》、《紅梨花記》、《琵琶記》等當時廣爲流傳的小説、戲曲，莫不綉梓。其他題材的版畫則有萬曆三十九年（公元1611年）余氏存慶堂刊《新鍥精采天下便用博聞勝覽考實全書》，萬曆十六年（公元1588年）余明臺克勤齋刊《大魁書經集注》，萬曆四十七年（公元1619年）古田余文龍校刊《大明天元玉曆祥异圖説》，萬曆三十三年（公元1605年）余氏刊《葉太史序補古今大方詩傳大全》等。

萬曆時期的建安版畫，大都是上圖下文形式，人物造型簡略，綫條粗獷有力，以古樸稚拙的風格而聞名，大抵屬于閩建民間藝人的創作。但由于其古樸稚拙，所以歷來論書本優劣，對建本評價頗多貶詞。明代胡應麟在《少室山房筆叢》中就説："餘所見當今刻書，蘇、常爲上，金陵次之，杭又次之。近湖刻、歙刻驟精，遂與蘇、常争價，蜀本最惡。"謝肇淛則直斥："閩建陽有書坊，出書最多，而紙版俱濫惡。"總體而言，建本的戲曲版畫，無論在數量上還是質量上，皆難與金陵、新安，乃至武林、蘇州、吳興戲曲版畫相媲美。但也正因爲其"出書最多"，而且價格低廉，從而爲建陽版畫的傳播，提供了有利條件。其所刊版畫，對後世或其他地域的版畫創作，在不少方面都產生了較爲深遠的影響。

（2）金陵派版畫

明初的《洪武南藏》、《永樂南藏》及大量佛教、道教版畫，宣德十年（公元1435年）刊《金童玉女嬌紅記》，都可看作金陵版畫的先導。明萬曆時，金陵書坊林立，形成了版畫藝苑上一時一地的百花齊放、爭奇鬥艷的局面。其中以富春堂所刊版畫最多，萬曆元年（公元1573年）即刊有《新刻出像增補搜神記》。此後，則刊有大量戲曲版畫，據考有百種以上，以每種附圖二十幅計，也有二千幅左右，畫面多以大型人物爲主，用筆粗壯，尤喜用大塊陰刻墨底，黑白對比極爲鮮明，表現出莊重、雄健、粗豪的作風，使人觀後如飲醇酒，回味綿長。唐氏世德堂也刊有大量版畫作品，風格基本上與富春堂相同，祇不過略顯工細了一些。唐錦池文林閣、唐振吾廣慶堂，所刊亦以戲曲版畫爲多，但繪鐫皆工緻，與富春堂、世德堂本的風格已迥然不同。

陳大來繼志齋的版畫，自萬曆中期崛起，所刊插圖本戲曲，論其數量僅次于世德堂，版式多爲單面方式和雙面連式，較爲統一，藝術風格趨于工整秀麗細緻，不再用大片墨底來作近景襯托，而是追求一種澹靜嫺雅的風格。如果説富春堂版畫受建版影響較多，繼志齋版畫則更主要地接受了徽派的影響，所刊《新鐫古今大雅北宮詞記》，雖然僅有雙面連式圖一幅，但繪刻清麗綿密，給人以細膩纏綿、清純典雅的美感，已純粹是徽派版畫的作風。其他如周曰校萬卷樓，圖刻粗豪雄健，體現的是金陵本土的風味。

萬曆時一些他處的富商大賈、文人學士也在金陵刻書，寓居金陵的徽郡巨富汪廷訥就是其中的代表人物。汪在金陵建環翠堂，刻有《環翠堂園景圖》，由著名畫家錢貢繪圖，圖分四十五段，銜接起來就是一個長1488厘米的長卷，是中國山水版畫中罕見的巨製。他自己編著了《坐隱先生集》十一卷、《人鏡陽秋》二十卷及《環翠堂樂府》（包括《義烈記》、《天書記》、《彩舟記》、《三祝記》等傳奇），皆繪有極爲精美的版畫。浙江人周氏荊山書林刊《夷門廣牘》，其中的《畫藪》是著名的人物、翎毛、梅、蘭、竹畫譜。

萬曆時金陵版畫所取得的輝煌成就，流寓金陵的他處刻工是做出了巨大貢獻的。如徽州名工黃鎬、黃應祖、黃德寵、鮑守業，都在金陵操剞劂之業，他們把徽派秀勁婉麗的作風帶給金陵版畫藝苑，并在萬曆中晚期，實現了金陵派版畫風格從粗豪到工細的轉變，使之成爲既爲大衆所喜愛，又可做爲文人案頭清玩的藝術品，毫無疑問，這是金陵版畫的巨大進步。

（3）徽派版畫

徽州古稱新安，故徽派版畫亦稱新安派。徽州自古以來就是製紙業、製墨業的中心，刻工們利用當地盛産的柘櫟樹，在大量刻製墨模的同時，精研鎸刻技藝，爲徽派木版畫水平的提高，打下了深厚的基礎。徽州版畫較建安、金陵晚出，大約始于明成化、天順年間。寧耕讀書堂所刊《天原發微》、歙西槐瀕程孟刊本《黄山圖經》，以及著名的大型版畫《武威石氏忠良報功圖》、《胡氏忠良報功圖》等，皆刻于這一期間。但徽州木刻真正成爲一個藝術流派，則在明萬曆初年，至萬曆中期達于極盛，天啓、崇禎年間愈見輝煌，至清中葉始衰，前後達四百餘年。

徽州虬村黄氏刻工的崛起，是徽州版畫走向成熟的標志。虬村黄氏是中國古代最大的刻書世家，據清光緒年間刊行的《虬川黄氏重修宗譜》載：黄氏自第二十二世始刻書，自明正統至清道光年間，父子相傳，兄弟相繼，子孫世業，族中先後有四百餘人操剞劂之業，其中雕鎸過版畫的亦不下四、五十人，如黄鏻、黄鋌、黄應瑞、黄應泰、黄應光、黄德寵、黄德新、黄德時，黄守言、黄一楷、黄一彬、黄一鳳、黄一中、黄建中、黄順吉、黄端甫、黄守言、黄子和、黄子立等，都是活動于萬曆至崇禎間的名工聖手。鄭振鐸先生説：“時人有刻，必求歙工，而黄氏父子昆仲，尤爲其中之俊。”這個稱譽是一點也不過分的。

明萬曆中期至天啓、崇禎，是虬村黄氏名工如日中天的鼎盛時期，在此期間，他們雕鎸了大量版畫，在中國古版畫史上，繪寫出了最爲璀璨奪目的篇章。黄氏名工所鎸，以戲曲版畫爲最多，成就亦最高，其中如萬曆十五年（公元1587年）汪雲鵬玩虎軒刊《元本出相南琵琶記》，圖雙面連式，黄一楷、黄一鳳刻，圖版格調清新，繪人寫事圖景抒情，無不已臻化境，是徽派版畫史上最負盛名的杰作之一。玩虎軒另刊有《元本出相北西廂記》，黄鏻、黄應岳刻，與《元本出相南琵琶記》是難分軒輊的佳作。觀化軒刊《新鎸女貞觀重會玉簪記》黄近陽鎸，圖版亦精麗。其他題材版畫如萬曆十六年（公元1588年）刊《汪虞卿梅史》，黄時卿刻，同年刊《泊如齋重修考古圖》，黄德時刻，二十二年（公元1594年）刊《養正圖解》，黄鏻、黄德奇刻諸本，都有大量的版畫，所鎸皆精工。萬曆十年（公元1582年）黄鏻、黄鋌刻《目蓮救母勸善戲文》，刀筆雄健，萬曆十七年（公元1589年）新安休邑吳懷保序刊本《書言故事大全》，上圖下文式，黄德時刻，都可以看出建安版畫的明顯影響，説明在萬曆初葉，黄氏刻工對其他地域版畫風格也進行過探索和嘗試，這種善于汲取別派所長的精神是難能可貴的。

除黄氏刻工外，明萬曆前後，安徽還涌現出一批可與黄氏并耀争輝的鎸圖名手。較著名的有蔡鳴鳳、王玉生、劉炤、汪忠信、姜體乾、謝茂陽、洪國良、汪成甫等，徽派版畫之所以能够在晚明獨領風騷，就在于有這樣一支陣容龐大的刻工隊伍。

徽派版畫自其肇始之初，走的就是較爲工細的路子。至明萬曆中期，則已形成繁縟細密、工致纖麗的典型範式。鄭振鐸先生在《中國古木刻畫史略》一文中，評萬曆三十二年（公元1604年）刊《仙媛記事》時說：“由粗豪變爲秀雋，由古樸變爲健美，由質直變爲婉約。”秀雋、健美、婉約，是對徽派版畫藝術風格的概括和總結。

由于徽州刻工人才濟濟，名工輩出，徽州彈丸之地，很難展其驥足，故徽派高手，多流寓于武林、蘇州、吳興等書業集中之地，以求更大的發展。他們是真正的藝術使者，正是由于他們，徽派的藝術風格，才如時雨甘霖，普降各地，并爲各地刻工所接受，建安的質樸、金陵的雄勁則趨于衰微。晚明的版畫藝苑，實際上成了徽派的大一統。因此，在談到“徽派”這一概念時，一般包括兩層含義：一是指徽州本土刊刻的版畫；二是指徽派藝術風格的作品，而不論是否刻于徽州本土。

（4）其餘流派版畫

明萬曆時期，武林、蘇州等地版畫亦頗興盛。武林即杭州，因其靠武林山而得名。徽版名工流寓兩地的極多，如黃應光、黃應秋、黃一楷、黃一彬、汪忠信、姜體乾、謝茂陽、劉啓先等，皆寄居杭州，安徽旌德刻工郭卓然等，則寓居蘇州，故兩地版畫，皆帶有明顯的徽派風貌。但同時也應指出，兩地版畫在構圖布景上，也有明顯的地方特色，如武林的版畫，看上去更加秀麗典雅，杭州的佳山秀水或被取入畫圖，給人以清新絕塵的感覺；蘇州版畫則益顯小巧精緻，衹要仔細分辨，不難區別杭之爲杭，蘇之爲蘇。因此，從鐫刻藝術的風格上講，可以稱之爲徽派，但從繪畫藝術的地域特色來區分，也可稱之爲武林派、蘇派。

泰昌、天啓、崇禎三朝，共二十五年，版畫藝術仍顯日益繁榮，但已顯現出地域上的不平衡性，其間建安派版畫已見衰微，可述者不多。金陵版畫雖尚有如《聖迹圖》、《詞壇清玩西廂記》、《三先生合評北西廂》等不錯的本子，比起萬曆時，也難同日而語了。武林、蘇州版畫則更顯興盛，刊行的小說、戲曲、畫譜、宗教以及經史文集、科技醫學、卜筮雜著等書，多有極爲精緻的版畫，即使較之于萬曆盛時，也毫不遜色。更值一提的是，泰昌、天啓年間吳興版畫崛起于一時，爲明代版刻藝苑，又添上了極爲燦爛的一筆。

吳興刻書，可上述到南宋時刊《思圓覺大藏》，至泰昌，天啓年間，閔、凌兩氏崛起，吳興版畫中的絕大部分就是由這兩位出版家刊行的。據陶湘《明代閔版書目》，閔、凌兩家共刻印圖書一百四十種，其中有版畫插圖的十餘種，多爲戲曲版畫，如泰昌元年（公元1620年）刊《紅拂記》、《紅梨花記》、《牡丹亭記》，天啓元年（公元1621年）閔光瑜刊《邯鄲夢》，天啓年間閔齊伋刊《明珠記》，凌濛初刊《南音三籟》、《西廂記》，凌延喜刊《幽閨記》以及天啓元年閔一柲刊《唐詩艷逸品》等，插圖都很精美。刻工有黃一彬、鄭聖卿、汪文佐、劉杲卿等，皆爲徽版名手。圖繪清麗靜穆，景多蕭疏蒼涼，人物在畫面所占比例較小，以背景鋪陳爲主，地方特色十分鮮明。遺憾的是，吳興版畫興盛期較短，自明天啓後就很少見了。

2、彩色套印版畫

在中國版畫史上，明代彩色套印版畫所遺作品最多，成就亦最高。自宋、元以來，人們長期探索的木刻彩印技術，至此産生了質的飛躍和淋漓盡致的發揮。

從現有資料看，明代早期的彩印版畫，出現于明萬曆中期。北京國家圖書館藏萬曆二十八年（公元1600年）刊《花史》，分春、夏、秋、冬四集，是印四季之花寫意畫的畫册，今存秋、冬二集。每幅畫上花、葉皆有不同顏色相混現象，因而是單版多色印刷。和後來的分版分色套印，有着明顯的區別。

萬曆三十三年（公元1605年），徽州程大約滋蘭堂刻印了帶有彩色插圖的《程氏墨苑》，是明代彩色印本中更重要的作品。此書由著名畫家丁南羽、吳左千等繪圖，不惜工本，刻印精益求精，其中有五十幅圖用四色或五色印出，如《巨川舟楫圖》以墨、黃、墨綠、藍及褐五色印出。將此書與《花史》比較，我們發現《程氏墨苑》顏色交接處很多，却無混色現象，説明是多版多色印刷，比起單版多色印刷已經大大前進了一步。

彩色套印版畫的巔峰，出現在天啓、崇禎年間，1963年上海博物館在浙江嘉興發現了彩色套印的《蘿軒變古箋譜》，是中國古代彩色套印版畫的一次最重要的發現。此本原爲海鹽張宗松清綺齋舊藏，著録于《清綺齋書目》，爲天啓六年（公元1626年）金陵吳發祥所刊，共有畫詩、筠蘭、飛白、博物、折贈、雕玉、鬥草、選石、遺贈、仙靈、代步、搜奇、龍種、擇栖、書稿等類圖一百七十八幅，繪寫工緻，色調和諧，鐫刻勁巧，具有極高的藝術欣賞價值。

箋譜中的飛白與雕玉全爲拱花版，畫詩部分有少許水墨，餘圖皆爲餖版套色，這是今天所能看到的，使用餖版和拱花技術的最早印本。所謂"餖版"，其名導源于"餖飣"：將不同形狀的五色餅堆在盤中供陳設的面食品名。餖版作爲多版多色叠印的方法，操作時先按畫稿上設色深淺、濃淡和陰陽向背的不同進行分色，將各色調部分勾描于紙上，再轉移到板上，分別刻成多塊印版，每版祇有部分畫面，再將事先調好的各種色料塗在不同印版上，一一在紙上套印或叠印。這樣各種色料拼湊而成完整的彩色版畫。一種色料需一塊印版，因此要刻幾塊至十幾塊版，着色時由淺至深、由淡至濃地依次叠印。色料多是水溶性的，照畫稿顏色配製，因此餖版後來又稱木版水印。拱花即砑花，砑花紙起于唐代，是在木板上刻出凸面反體圖案或文字，再將其壓在紙上，類似近代的凸版印刷。將這種技術引入印刷生産，可使印刷品有無色的凹紋圖案，增加立體感。

最有影響的彩色套印印刷物爲胡正言所編《十竹齋書畫譜》和《十竹齋箋譜》。胡正言，字曰從，安徽休邑人，移居南京鷄籠山側，因室中植翠竹十餘竿，故名其居爲十竹齋。他博學多才，精擅六書，擅于繪事，善造好紙佳墨。

《十竹齋書畫譜》大致在萬曆四十七年（公元1619年）輯集鏤版，天啓七年（公元1627年）刊成。書分書畫譜、竹譜、梅譜、蘭譜、石譜、果品譜、墨華譜八卷，每卷二十圖，合共一百六十圖，對幅大版，所輯刻的作品既有胡氏自己創作的畫圖，也有當世名家如吳彬、倪瑛、魏之光、米萬鍾、文震亨及前代書學大師及畫壇巨匠趙孟頫、唐寅、沈周、文徵明、陸治、陳道復等人的作品，是中國古代所刊最有價值的彩印本畫譜。爲刊成這部畫譜，胡正言是付出了許多辛勞的，即使以嘔心瀝血形容之亦不爲過。據程家珏《門外偶録》載：胡正言對刻工"不以工匠相稱"，與他們"朝夕研討，十年如一日"。由于餖版技術繁複，要求很高，分版、刻版、對版、着色、印刷來不得半點馬虎，因此，在付印前他還要"親加檢校"，以保證刻印質量，所以印出來的成品，實已達前所未有的化境。《十竹齋書畫譜》爲餖版套印，未用拱花。

《十竹齋箋譜》的刊刻始于崇禎十七年（公元1644年），刊成時已是南明弘光元年。書分四卷，繪刻自"龍種"至"文佩"，共三十三類，一百八十餘圖。題材浩繁豐富，不但有花鳥樹石，山水亭宇，而且包括大量的古人韵事嘉言，刻製兼采餖版和拱花，益顯五彩繽紛，清芳秀雅。李克恭在《箋譜·叙言》中説："餖版有三難：畫需大雅又入時眸，爲此中第一義；其次則鎸忌剽輕，尤嫌痴鈍，易失本稿之神；又次，則印拘成法，不悟心裁，恐損天然之韵。去此三疵，備乎衆美，而後大巧出焉。"可見胡正言在印刷《十竹齋箋譜》時，對餖版套印的理解也更加深刻了。從藝術觀感而言，應該説《十竹齋箋譜》的成就是高于《畫譜》的，堪稱是中國古代彩色套印版畫成就最高的作品。

六、漸漸衰落的清代版畫

清代可説是中國古代版畫工藝及其產品的守成時期。明代的工藝，無不繼承，但并未能進一步發展。清代版畫的發展，大體上可以分爲兩個階段，清代前期包括順治、康熙、雍正、乾隆四朝，正是清王朝的興盛期，其間版畫發展也呈興旺之勢；清代後期自嘉慶至宣統，此時國力日衰，版畫也呈頹勢。尤其是道光之後，新式印刷方法傳入中國，古老的雕版印刷工藝走上了漸漸消亡之路。

清廷入關後，爲鞏固自己的統治，采取了極爲專制的文化政策，自順治至乾隆，焚書禁書，不遺餘力，小説、戲曲類文藝作品，更動輒被冠以誨淫誨盜的罪名，屢遭嚴禁。所以晚明時如日中天的戲曲、小説版畫，不可避免地走上了衰微之路。但統治者爲了鞏固政權和粉飾太平，却充分利用了版畫這種藝術形式。清代內府所刻圖書極爲注意圖版，主要在兩大類圖書中使用。一大類是有關國計民生、文教衛生的圖書，其中有不少科學著作和大型類書等，如《授時通考》、《授衣廣訓》、《律曆淵源》、《儀象圖》、《西清古鑒》、《皇朝禮器圖式》、《古今圖書集成》等書中的插圖版畫，均極爲工緻。特別值得注意的是地圖和地方志中的版畫插圖，如康熙《皇輿全覽圖》和雍正《皇輿十排全圖》，均木刻設色；乾隆《皇輿全圖》，銅版墨印；乾隆《盛京輿圖》，木刻墨印，分裱成可折叠可展開的二十五册圖本，能拼成一張大圖；乾隆《皇清職貢圖》，繪刻中外三百種不同地區不同民族的男女圖像各一，共版畫插圖六百幅。另一大類是宣揚武功文治的圖書，其中大型圖錄式的專書頗多。爲康熙御製《避暑山莊詩》配畫的《避暑山莊三十六景圖》，著名畫家沈崳繪圖，最優秀的供奉内廷的蘇州刻工朱圭、梅裕鳳雕刻，武英殿墨色刷印，康熙五十一年（公元1712年）刻本。乾隆六年（公元1741年）又加上乾隆的御製詩，插圖由朱圭據沈崳原畫重刻，更爲精細纖巧。雍正《圓明園四十景詩》配畫插圖，内廷畫家孫佑、沈源繪圖，學習了西方透視畫法。康熙《萬壽盛典》、乾隆《南巡盛典》、乾隆《八旬萬壽盛典》等典禮圖書中的大量版畫插圖，是記實性質極強的社會風俗畫卷。

　　由于清代前期統治者重視版畫，羅致南方名匠來京，使北京成爲當時版畫刻印的中心，并形成“殿版版畫”的風格流派。更由于供奉内廷的西方傳教士畫師的參與，使繪圖帶有歐洲透視畫量度寫真的風格，即所謂參用“西法”，後來還影響到民間年畫。乾隆帝還命郎世寧等西方傳教士畫成《平定準噶爾回部得勝圖》十六幅大圖，送往法國用銅版雕刻，這在中國版畫史上是一件有意義的中外文化交流。

　　清代前期的民間書坊版畫，基本上是明末的延續。但是，戲曲小説中的插圖已現衰退之象。具體表現爲常以人物肖像畫作爲故事連環畫的代用品，因爲這種插圖繪刻印都容易些；傳世作品中精品不多；有些書籍甚至沒有插圖。但是由名畫家繪圖、名匠雕刻的某些圖書，還維持較高水平。明末清初，版畫底本著名作家陳洪綬的《九歌圖》于康熙三十年（公元1691年）重鐫（初刻于崇禎十一年，即公元1638年），陳氏還在順治八年（公元1651年）出版了《博古葉子》。蕭雲從在順治二年（公元1645年）出版了《離騷圖》，順治五年（公元1648年）又出版了《太平山水圖畫》。這都是版畫史上的不朽之作。

　　康熙十八年（公元1679年）沈因初在南京出版《芥子園畫譜》。因書版在其岳父李漁在南京的別居芥子園內刻印，又得李氏資助，故以芥子園冠書名。初集五卷爲山水畫譜，共一百三十三幅，供初學者習畫用，康熙十八年（公元1679年）以彩色套印出版。二集八卷，包括蘭、竹、梅、菊四譜，康熙四十年（公元1701年）出版。三集四卷，有花木、鳥蟲等譜，與二集同時出版，皆彩色套印。《芥子園畫譜》是繼《十竹齋書畫譜》之後，彩色套印的又一部大型畫譜，後來屢經翻印，在中國繪畫界影響巨大。

　　嘉慶時期（公元1796-1820年）是清王朝由盛及衰的轉折點，經嘉慶、道光、咸豐、同治、光緒、宣統六朝，清朝滅亡。這個一百二十多年，內憂外患頻仍，社會矛盾加劇，清朝廷積貧積弱。社會如此，版畫藝術亦是如此，但這是一個漸進的過程，其間時起時伏，仍偶有一些優秀的作品出現。

　　版畫在清晚期的逐漸衰落，直至最後退出歷史舞臺，原因是多方面的。除了社會原因之外，西方石印技術傳入引起的圖文印刷方式的變革，是一個更爲關鍵的因素。石印法爲奧國人施奈飛爾特于1796年（相當于清嘉慶元年）發明，嘉慶、道光間傳入中國，同治、光緒時大行于世。石印技術在印製圖文時快捷、方便，質量上乘且成本低廉的優點，是顯而易見的。清光緒時，珂羅版印法也自日本傳入，用它來印製圖畫，幾乎與原作無异。這些現代的、大機器生產的產物，必然給傳統的、手工業作坊式的木版雕印以致命的打擊。石版印刷方法的傳入和普及，宣告了中國古代木版雕印歷史的終結，版畫作爲木版雕印的衍生物，也不能免于最後衰亡的命運。

目　録

岩　畫

内蒙古地區

河南寧夏甘肅青海地區

新疆地區

西藏地區

廣西地區

雲南地區

南方其它地區

版　畫

唐五代十國 （公元六一八年至公元九六〇年）

頁碼	名稱	時代	發現地	收藏地
109	《陀羅尼神咒經》圖	唐	陝西西安市唐墓	陝西省西安碑林博物館
110	梵文《陀羅尼經咒》圖	唐	四川成都市望江樓唐墓	中國國家博物館
111	梵文《陀羅尼經咒》圖	唐	陝西西安市長安區	陝西省西安碑林博物館
112	《金剛般若波羅蜜經》卷首圖	唐	甘肅敦煌千佛洞	英國倫敦大英博物館
113	大聖毗沙門天王像	五代十國·後晉	甘肅敦煌千佛洞	法國巴黎圖書館
114	大聖文殊師利菩薩像	五代十國	甘肅敦煌千佛洞	中國國家圖書館
115	大慈大悲救苦觀世音菩薩像	五代十國·後晉	甘肅敦煌千佛洞	英國倫敦大英博物館
115	《寶篋印經》卷首圖	五代十國·吳越	浙江杭州市雷峰塔	浙江省博物館

遼北宋西夏金南宋 （公元九一六年至公元一二七九年）

頁碼	名稱	時代	發現地	收藏地
116	《妙法蓮華經》卷首圖	遼	山西應縣佛宮寺釋迦塔	山西省應縣文物保管所
118	南無釋迦牟尼佛像	遼	山西應縣佛宮寺釋迦塔	山西省應縣文物保管所
119	《大隨求陀羅尼》曼陀羅圖	北宋	甘肅敦煌千佛洞	法國巴黎圖書館
120	彌勒菩薩像	北宋		日本京都清凉寺
121	靈山說法變相圖	北宋		日本京都清凉寺
122	御製秘藏詮山水圖	北宋		美國哈佛大學福格美術館
126	塔幢形佛畫	西夏	寧夏賀蘭縣拜寺溝方塔	寧夏博物館
127	《觀彌勒菩薩上生兜率天經》卷首圖	西夏	內蒙古額濟納旗黑水城遺址	俄羅斯艾爾米塔什博物館
128	《金刻大藏經》卷首圖	金		中國國家圖書館
129	義勇武安王像	金	內蒙古額濟納旗黑水城遺址	俄羅斯艾爾米塔什博物館
130	四美人圖	金	內蒙古額濟納旗黑水城遺址	俄羅斯艾爾米塔什博物館
131	佛國禪師文殊指南圖贊	南宋		日本京都國立博物館

頁碼	名稱	時代	發現地	收藏地
132	《大字妙法蓮華經》卷首圖	南宋		
134	《妙法蓮華經》卷首圖	南宋		中國國家圖書館
136	《纂圖互注荀子》插圖	南宋		
137	《東家雜記》插圖	南宋		中國國家圖書館
138	《磧砂大藏經》卷首圖	南宋		
140	梅花喜神譜	南宋		上海博物館
141	東方朔盜桃圖	南宋		陝西省西安碑林博物館

元 （公元一二七一年至公元一三六八年）

頁碼	名稱	時代	發現地	收藏地
142	《孔子祖庭廣記》插圖	元		中國國家圖書館
143	《大觀本草》插圖	元		
144	《現在賢劫千佛名經》卷首圖	元		中國國家博物館
145	《圜悟禪師語錄》插圖	元		日本
146	《新刊素王事紀》插圖	元		日本
147	《無聞和尚金剛經注》圖	元		臺灣“中央圖書館”
148	《事林廣記》插圖	元		北京大學圖書館
149	《武王伐紂平話》插圖	元		中國國家圖書館

明 （公元一三六八年至公元一六四四年）

頁碼	名稱	時代	發現地	收藏地
150	《妙法蓮華經觀世音普門品》圖	明		中國國家圖書館
151	《釋氏源流應化事迹》插圖	明		江蘇省蘇州市西園寺
152	鬼子母揭鉢圖	明		中國國家圖書館
154	《天妃經》卷首圖	明		
156	《嬌紅記》插圖	明		日本
157	《大雲輪請雨經》卷首圖	明		中國國家圖書館
158	《道藏》卷首圖	明		中國國家圖書館

頁碼	名稱	時代	發現地	收藏地
160	《飲膳正要》插圖	明		
161	水陸道場懺法神鬼像圖	明		中國國家圖書館
162	歷代古人像贊	明		中國國家圖書館
163	《西廂記》插圖	明		北京大學圖書館
164	便民圖纂	明		
165	《武經總要前集》插圖	明		上海圖書館
166	《農書》插圖	明		山東省圖書館
167	《雪舟詩集》插圖	明		美國
168	《蟲經》插圖	明		上海圖書館
169	高松畫譜	明		中國國家圖書館
170	帝鑒圖説	明		安徽省博物館
171	《目蓮救母勸善戲文》插圖	明		中國國家圖書館
172	古先君臣圖鑒	明		日本
173	《古今列女傳》插圖	明		中國國家圖書館
174	《孔聖家語》插圖	明		中國國家圖書館
175	《忠義水滸傳》插圖	明		中國國家圖書館
176	《三國志通俗演義》插圖	明		北京大學圖書館
177	《三遂平妖傳》插圖	明		北京大學圖書館
178	《養正圖解》插圖	明		上海復旦大學圖書館
179	《琵琶記》插圖	明		中國國家圖書館
180	《人鏡陽秋》插圖	明		上海圖書館
181	《大備對宗》插圖	明		中國國家圖書館
182	《紅拂記》插圖	明		
183	歷代名公畫譜	明		上海圖書館
184	《樂府先春》插圖	明		上海圖書館
185	圖繪宗彝	明		上海圖書館
186	程氏竹譜	明		中國國家圖書館
187	三才圖會	明		上海復旦大學圖書館
188	《坐隱先生精訂捷徑弈譜》插圖	明		中國國家圖書館
190	《海內奇觀》插圖	明		中國國家圖書館
192	《北西廂記》插圖	明		上海圖書館
193	詩餘畫譜	明		中國國家圖書館
194	小瀛洲十老社會詩圖	明		中國國家圖書館
196	《四聲猿》插圖	明		中國國家圖書館

清 （公元一六四四年至公元一九一一年）

岩畫

牧鹿

位于内蒙古克什克騰旗雙合鄉烏蘭壩底村白岔河畔。
爲牧者放鹿的場景。牧者位于鹿群中，鹿漫散各處覓食。

駝群與太陽神（下圖）

位于内蒙古克什克騰旗雙合鄉溝門村白岔河畔。
畫面可分兩部分，左邊有四隻雙峰駝昂首闊步朝同一方
向行進，右邊是一個太陽神。

馬與羊

位于内蒙古達爾罕茂明安聯合旗查干敖包蘇木西南。
畫面右上方爲一模糊的羊形，中有一昂首長嘶的馬形，
左下方一馬作奔馳狀。

巫師作法與面具

位于内蒙古磴口縣沙金陶海蘇木格爾敖包溝。
畫面上主要位置鑿刻了一個正在作法的巫師。此人雙
臂上折舉，手指分開，頭蓄兩辮，胸露肋條三根，下
肢内彎，作舞蹈狀。面具呈簡略人形，與巫師下肢交
錯在一起。

人面像與鹿

位于內蒙古磴口縣沙金陶海蘇木格爾敖包溝。
畫面右上方有兩個面具,一個類人面,另一個類獸面。
畫面正中有兩隻鹿,左下方是變形面具。

圍獵

位于內蒙古磴口縣沙金陶海蘇木榆樹溝。
兩名獵人手持弓箭前後合圍獵物。

内蒙古地区

化裝舞會

位于内蒙古磴口縣沙金陶海蘇木托林溝。

畫面左邊是兩個化裝的舞者，在一個雙手叉腰者之後，跟着一個化作鳥獸之形的人。中間四人操尾而舞。上方一人弓拉滿月，後跟一動物。右上方似在作精彩的雜技表演。

鹿群與獵人

位于内蒙古磴口縣沙金陶海蘇木榆樹溝。

畫面爲六隻不同的鹿，按次序排列，鹿角各异。鹿群左下方，站着一個持弓獵人。

人面像

位于內蒙古磴口縣沙金陶海蘇木默勒赫圖溝。
畫面上有若干人面像、形態各异。

人面像

位于内蒙古磴口縣陰山。

畫面由衆多的人面（面具）組成，反映了遠古先民對大
自然的崇拜。

圍獵與放牧

位于内蒙古烏拉特中旗昂根蘇木幾公海勒斯太。

畫面上方爲狩獵場面，一群獵手圍獵一匹野馬，射獵野 猪，驅趕鹿群。下方爲放牧場面，四牧人看管北山羊群等動物。最下方有一山羊形圖案。

奔鹿　人物　馬

位于内蒙古烏拉特中旗昂根蘇木幾公海勒斯太。
畫面内容很豐富，上方以突出位置鑿刻一隻奔鹿，其前
和下方有簡略的馬匹。右下方有奔馬和人形，在人之上
又站立一人。左下方有一頭駱駝和一腰間佩刀的人。

騎馬與獵羊

位于內蒙古烏拉特中旗昂根蘇木幾公海勒斯太。

早期作品繪有牧羊和獵羊，被獵取的羊有岩羊和北山羊。晚期作品，左上方有一個十分抽象的動物形象，把早期一頭牛破壞了。

騎獵

位于內蒙古烏拉特中旗昂根蘇木幾公海勒斯太。

畫面上方有兩個前後隨行的騎馬人，後面一騎者作射箭狀。下方有馬、北山羊和一執弓獵人。

獵鹿

位于内蒙古烏拉特中旗呼魯斯太蘇
木地里哈日。

兩鹿前方一蹲姿獵人欲射鹿，鹿角
上方站一動物，下方鹿腹下有小鹿
吮奶。

狩獵野馬

位于内蒙古烏拉特中旗呼魯斯太蘇
木地里哈日。

畫面上方有奔跑的野山羊，其下刻
三匹野馬，右邊一執弓獵人對準中
間馬的頭部，後跟一隻獵狗。右下
方有一模糊動物。

放牧與狩獵（上圖）

位于內蒙古烏拉特中旗呼魯斯太蘇木地里哈日。
爲牧者騎馬放牧羊群及鹿、駱駝等動物的場景。

神面具

位于內蒙古烏拉特中旗呼魯斯太蘇木白齊溝。
岩畫刻于孤石上，由兩個大面具和一些小面具組成，面
具間布有小圓穴，畫面左邊有一幅星圖。

太陽組合圖

位于内蒙古烏海市桌子山召燒溝。
以四方組合形式表現了太陽圖形，圖案
構成完整，綫條表現自如。

太陽神

位于内蒙古烏海市桌子山召燒溝。
太陽神面貌頗類人的面部，頭部放射太
陽光芒。

人面像

位于内蒙古烏海市桌子山苦菜溝。

畫面上有若干人面像，大小形狀各不相同，最引人注目的是那種頭戴太陽光冠的面具。

虎

位于内蒙古烏海市桌子山蘇白音溝。

虎口大張似在咆哮，虎身有簡易綫條。

群虎

位于内蒙古烏拉特後旗烏蓋蘇木巴日溝。

畫中七虎相連，各具姿態。虎群之上有馬和駱駝。

人面像

位于内蒙古阿拉善左旗厢根達來蘇木松鷄溝。

此圖共有五個人面，東西排成一列，每個人面略呈扁圓形，五官複雜多變，有的還有頭飾。

駱駝 騎者 魚

位于内蒙古阿拉善左旗厢根達來蘇木大井山。

畫面内容有騎馬人、狗、馬、駱駝、羊、魚、面具和二方連續圖案等。

帳篷與鞍馬

位于内蒙古阿拉善左旗厢根達來蘇木大井山。

畫面在主要位置刻了一匹蒙古披鬃馬。馬作奔跑狀，馬具齊全，負着馬鞍，又備有韂、鐙磨和鐙等，臀部有馬飾。在馬上方，有用木棍搭的帳篷。

羊拉轎車 馬術表演 騎馬人

位于内蒙古阿拉善右旗海爾汗山。

畫面左上方是一隻羊拉着一輛轎車。往右是一騎手踏于馬背，雙手上舉一物，正在作嫻熟的馬術表演。畫面下方二騎馬人，騎于裸背馬上。最下面有一符號，圓圈內加一點，可能表示太陽。

衆騎與祭壇

位于内蒙古阿拉善右旗海爾汗山。

畫面可分早晚兩期。早期畫面有右上方的騎者和右下方的馬匹以及右邊的模糊圖像。晚期岩畫有左邊的祭壇及其右邊的三個騎馬人。在祭壇中及其左邊各有一人物，似表示前來祭祀者。

馬 羊 騎者 雁
位于内蒙古阿拉善右旗孟根布拉格蘇木曼德拉山。
圖中騎者在馴養盤羊及鹿等動物。

飛雁與鹿群
位于内蒙古阿拉善右旗孟根布拉格蘇木曼德拉山。
畫面正中有兩隻大鹿，前鹿背上立一小鹿，兩鹿下還有
三隻大鹿。鹿上方有九隻雁。

[岩 畫]

騎者 飛雁 盤羊
位于内蒙古阿拉善右旗孟根布拉格蘇木曼德拉山。

畫面布滿各種動物及騎牧者，間隙處則刻以圓形斑點，
似顯示某種神奇之力。

【 岩 畫 】

村落與騎者
位于内蒙古阿拉善右旗孟根布拉格蘇木曼德拉山。
主景爲由十八個帳篷組成的村落，下有三名騎士。

村落與騎者
位于内蒙古阿拉善右旗孟根布拉格蘇木曼德拉山。
主景爲由十八個帳篷組成的村落，下有三名騎士。

列騎與狩獵

位于内蒙古阿拉善右旗孟根布拉格蘇木曼德拉山。

畫面在主要位置刻了十多位騎馬人，朝着一個方向，浩浩蕩蕩行進。騎者旁有備騎馬。騎者間有許多羊，散刻其間。畫面左上方有一個執弓搭箭的獵人。畫的左邊有一獵人，正在獵取一隻羚羊。下方有一雙臂折肘上舉、下肢作蹲襠式的人，應是正在祈禱的巫師。

牦牛

位于内蒙古阿拉善右旗孟根布拉格蘇木曼德拉山。

畫面是一頭肥碩健壯的牦牛，昂首站立。

放牧與獵羊

位于内蒙古阿拉善右旗孟根布拉格
蘇木曼德拉山。

畫面上有騎馬者，也有徒步者，還
有許多羊，也有執弓搭箭的獵人，
瞄準對面的野山羊，表示獵羊。

圍獵盤羊與牧羊

位于内蒙古阿拉善右旗孟根布拉格
蘇木曼德拉山。

畫面上方是圍獵盤羊的場面，左邊有
三獵人盤弓搭箭對準前面的衆多盤
羊，有人跳到羊群中轟趕，更有騎馬
人離此而去，尋覓更多的獵獲對象。
下方有牧人、北山羊和牧犬。

放牧 狩獵 斑點
位于内蒙古阿拉善右旗孟根布拉格蘇木曼德
拉山。
畫面上方是狩獵山羊的場面，左下方是騎牧
場面，在放牧場面中布滿了斑點。

塔
位于内蒙古阿拉善右旗孟根布拉格蘇木曼德
拉山。
畫面表現一座閣樓式的佛塔，塔基有蓮瓣一
周，塔身由四層組成，其中第一層塔有兩人
站立，塔頂呈覆鉢狀，上有杆狀塔剎。塔四
周有岩羊、盤羊和北山羊等。

人形圖案

位于内蒙古阿拉善右旗孟根布拉
格蘇木蘇海賽。
畫面由三個十分抽象的圖案組
成，以人形爲基礎，輔以曲綫和
菱形等圖案，象徵生殖崇拜。

人形圖案

位于内蒙古阿拉善右旗孟根布拉
格蘇木蘇海賽。
畫面内容爲一個規整而美麗的圖
案，是用綫刻劃而成的。圖形比
較抽象，是由頭戴太陽光冠的頭
像、菱形、曲綫等組成的。

内蒙古地區

人面像與凹穴
位于内蒙古翁牛特旗白廟子山。
一塊巨大的岩石，面朝天的一面鑿刻有19個凹穴，岩石的側面鐫刻有若干深淺不一，大小不同的人面（或獸面）圖像。

凹穴與曲綫
位于内蒙古翁牛特旗白廟子山。
刻有凹穴的岩石面通常面朝天，每個凹穴鑿刻得比較深，若干個凹穴之間有曲綫綫條相聯。

凹穴與綫條

位于河南新鄭市具茨山。

具茨山上地表的大石上鐫刻着不規則排列的圓穴，這些凹穴大小不一，深淺不同，一些凹穴之間還有綫條相聯接。有的綫條刻痕很深，一頭聯接凹穴，另一頭延伸出岩石表面之外。

圓凹穴　方凹穴　格子　米字格等

位于河南新鄭市具茨山。

具茨山凹穴岩畫中凹穴的排列大致有兩種類型，一種是不規則排列，但較多的却是呈"6"的倍數式排列，如6、12、24、36等。此圖右側的兩排凹穴各是"6"個圓穴。這幅岩畫的内容比較複雜，岩畫刻在山頂巨大的岩石上。朝天的石面上鐫刻着大小不等的凹穴，有圓形、方形凹穴，深淺不一。另有不少方格狀圖案，有的方格内爲橫平竪直的格子，也有的爲斜綫與直綫相關的米字格，一些格子與凹穴之間明顯具有打破關係。

河南寧夏甘肅青海地區

鹿與大角羊
位于寧夏石嘴山市小棗溝黑石峁圪墶。
鹿羊造型生動，鹿似在奔跑，大角羊神態安然。

牧羊
位于寧夏石嘴山市小棗溝黑石峁屹墶。
畫面布滿羊群，均爲静止狀態。

動物 植物 人騎

位于寧夏石嘴山市石炭井雙疙瘩。

畫面中有北山羊、植物和人騎，畫面密度大，形象生動，表現了人們對豐收的期盼。

游牧風情圖

位于寧夏平羅縣崇崗鄉汝箕溝內白芨溝上田村。

畫面中有人在放牧馬、駝、羊，畫面氣勢宏大，各種動物形態各異，造型生動。

野牛

位于寧夏賀蘭縣金山鄉金山村大西峰溝。

畫面中的野牛爲剪影式，技法純熟，造型準確。

人物與動物

位于寧夏賀蘭縣金山鄉金山村大西峰溝。

畫面内容爲生活場景，人物留厚髮，手執工具，羊犄角彎曲，馬作奔跑狀。

游牧風情圖

位于寧夏賀蘭縣金山鄉金山村小西峰溝。

畫面宏大，有狩獵、放牧的情景，也有人們歡慶的舞蹈場景。

虎

寧夏賀蘭縣金山鄉金山村賀蘭口。

畫面中的巨虎昂首捲尾，巨齒利爪，十分威武，虎的下部有兩隻羔羊陪襯。

人面像

位于寧夏賀蘭縣金山鄉金山村賀蘭口。

畫面中人面上部似站立一人。

人面像群

位于寧夏賀蘭縣金山鄉金山村賀蘭口。

畫面由數十個人面像組成，似面具又似臉譜，表情各异。

人面像與西夏文題記

位于寧夏賀蘭縣金山鄉金山村賀蘭口。

人面結構奇特，面部内似站立一人，外部有髮飾。在人面像旁有西夏文題記一方，書"正法能昌盛"，反映了西夏人對佛的崇敬之情。

太陽神

位于寧夏賀蘭縣金山鄉金山村賀蘭口。

雙目大而圓，雙頰豐滿，頭部放出光芒。

狩獵（上圖）

位于寧夏賀蘭縣金山鄉金山村蘇峪口。

畫面中人物手執弓箭和石鎖，有頭飾和尾飾，身旁有狗與羊。

巨牛

位于寧夏賀蘭縣金山鄉金山村回回溝。

圖中有巨牛、騎馬人及馬匹。巨牛形體肥碩，以雙廓綫勾出，粗獷潑辣。

人騎馬

位于寧夏中寧縣餘丁鄉劉莊村。
畫面中兩匹馬并列而行，馬身上
站立一人，雙手上舉，似在作馬
上雜技動作。

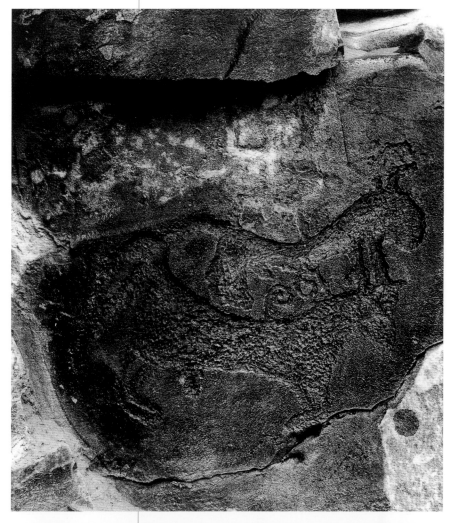

狩獵

位于寧夏中衛市東園鄉北山大
麥地。
在一大群動物中間，狩獵者張弓
搭箭瞄向各自的獵物。

騎者與狩獵

位于寧夏中衛市東園鄉北山大麥地。
畫面中騎者姿勢前傾，個別人物佩帶寶珠和
頭飾，馬匹頭部有飾物，作奔跑狀。

放牧

位于寧夏中衛市東園鄉北山大麥地。
畫面中人物在放牧，動物爭先恐後地向前
跑。人物形象簡單。

圍獵

位于寧夏中衛市東園鄉北山大麥地。

畫面中有多人合圍進行狩獵活動，形象地表現了群獵的
生動場面。

唐僧取經圖

位于寧夏西吉縣火石寨鄉五家村北山。

畫面有僧人、法師像以及傳説中的唐僧騎馬取經等形象。

河南寧夏甘肅青海地區

圍獵

位于甘肅肅北蒙古族自
治縣別蓋鄉大黑溝。
五名獵人正在圍攻一頭
野牛，四周山羊和梅花
鹿作驚恐避讓狀，氣氛
緊張激烈。

放牧

位于甘肅肅北蒙古族自
治縣馬鬃山明水鄉上霍
勒札德蓋。
畫面爲二裸體男童趕着
牛、羊、驢群朝同一方
向前進，右前方一驢離
群行走。

放牧

位于甘肅肅北蒙古族自治縣馬鬃山明水鄉上霍勒札德蓋。
畫面上方有一人牽馬，馬上騎一人，後二人挽手，和
馬、羊群同向前進。

羊群

位于甘肅肅北蒙古族自治縣馬鬃山明水鄉下霍勒札德蓋。
畫面爲一群山羊在山野嬉戲，前面一體形肥碩的帶頭羊
作跳躍回首觀望狀，群羊尾隨其後。

狩獵

位于甘肅肅北蒙古族自治縣馬鬃山山德爾。

畫面表現一野生動物群，其中有駱駝、牛、山羊、狼和獵犬，狩獵者居高臨下，挽弓待發，一隻雙峰駱駝占據畫面突出位置，尾隨其後的獵犬撲向雙峰駝。

麋鹿

位于甘肅肅北蒙古族自治縣馬鬃山山德爾。

畫面上一隻麋鹿在疾馳，逃避後方兩隻食肉動物的追趕。食肉動物軀體修長，奔跑時腹部下垂，形似獵豹。

狩獵

位于甘肅肅北蒙古族自治縣馬鬃山洛多呼圖克。

畫面爲不同種屬動物群體朝同一方向前進。其中六頭野驢排作兩行，尾隨其後的尖耳長尾獵犬撲向野驢群，左上方一隻食肉動物也在窺視，右上角一狩獵者持弓箭瞄準一隻山羊。

牛 羊 駱駝

位于甘肅肅北蒙古族自治縣馬鬃山和尚井。

畫面爲動物群體，描繪黃牛、山羊、駱駝朝同一方向緩緩行進。

舞蹈圖

位于甘肅嘉峪關市黑山四道鼓心溝。

舞蹈者身着袍服，足蹬長靴，腰部緊束，頭上飾雉翎，
或叉腰，或揚臂，盡情歌舞。

牦牛

位于甘肅嘉峪關市黑山四
道鼓心溝。

畫面爲一體形肥碩的牦
牛，昂首豎尾，凝視前
方，一騎者手挽繮繩站立
于野牛後方，左下方一人
作驚恐奔馳狀，似在逃避
野牛追擊，下方還有兩隻
山羊在交媾。

圍獵

位于甘肅嘉峪關市黑山四
道鼓心溝。

畫面爲多人圍獵牦牛和梅
花鹿群的場景。

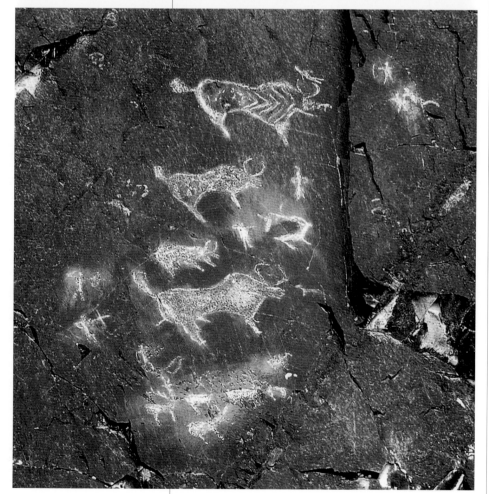

河南寧夏甘肅青海地區

梅花鹿

甘肅靖遠縣劉川鄉吳家川。
畫面爲形體高大的梅花鹿佇立在木柱旁,繩索將鹿繫在木椿上。左側爲一輛雙輪單轅車。

獵牦牛

位于青海海北藏族自治州剛察縣舍布齊溝。
畫面中一騎者執弓箭欲射一牦牛。

駕車與牦牛（上圖）

位于青海海西蒙古族藏族自治州天峻縣廬山。
畫面内容爲一人駕牛車前進。

動物群

位于青海海西蒙古族藏族自治州天峻縣天棚鄉。
畫面中有牛、羊、鹿等動物圖案，有現代人磨劃加工的
痕迹。

河南寧夏甘肅青海地區

羚羊與野牛

位于青海海西蒙古族藏族自治州天峻縣廬山。

羚羊與野牛刻劃的時期不同，野牛較早。

馬車

位于青海海西蒙
古族藏族自治州
天峻縣廬山。
畫面内容爲二馬
拉車。

對射

位于青海西海蒙
古族藏族自治州
天峻縣廬山。
畫面内容爲二人
執弓對射。

雙鹿
位于青海海西蒙古族藏族自治州天峻縣盧山。
兩鹿一前一後同向行走，前鹿嘴似鳥喙形。

鷹與牦牛
位于青海海西蒙古族藏族自治州野牛溝第一地點。
牦牛體形碩大，牛角突出。

狩獵

位于新疆阿勒泰地區哈巴河縣多尕特。

畫面中奔馳的馬、牛，有的身上帶着投槍，有的倒仆在地，其間是手執各種武器的獵手，畫面間夾雜各種幾何形圖案和手印紋。

狩獵

位于新疆阿勒泰地區哈巴河縣多尕特。

岩畫用赭紅色彩繪出牛、馬、人物、手印和幾何
圖形。

羊 鹿

位于新疆阿勒泰地區青河縣東北喬夏溝。

在一塊兀然聳立的岩石上，十分規律地鑿刻大角
羊數十頭，其間雜立幾隻鹿。

群獸

位于新疆阿勒泰地區青河縣查干廓楞鄉克勒舒美克。
畫面以鹿、羊爲主體。鹿枝狀大角,羊大角彎曲。鹿、
羊間夾有二狼,左方有駱駝。動物群中還有二人,一
人手執弓箭,一人頭戴尖帽。

鹿

位于新疆阿勒泰地區富蘊縣布拉特。
鹿站立前望,脊背微微高起,腹部細小,鹿角後傾至背
部,捲曲如雲紋。

群牛

位于新疆阿勒泰地區富蘊縣布拉特。

群牛圖刻在兩塊砂石上，左小右大。右側畫面以兩公牛
爲主體，一人騎在馬上。左側畫面一人站立，雙臂伸
開，前方有一牛。

鹿 羊

位于新疆阿勒泰地區富蘊縣徐永恰勒。

表現了一頭成熟的牡鹿。枝狀角高高聳起，在其身下、
腿後有兩隻小鹿相隨。牡鹿左上爲一身軀很小的羊。

群牛

位于新疆阿勒泰地區阿勒泰市杜拉特。

在一塊比較平整的頁岩表面，刻鑿出四五縱列動物圖像，祇有中間三列動物圖像保存較好，較爲清晰。其畫面組織是：每一縱列圖像，中間是幾頭懷孕母牛，特別肥碩。母牛之間是大角羊和騎士。

牧區生活圖

位于新疆阿勒泰地區阿勒泰市杜拉特。

畫面爲人物與動物雜處的情景。有數十隻大角羊，形態各异。羊群中有鹿、牛和馬。有六人雜處獸群之間，或騎馬，或率牛，或作吆喝狀。

群獸

位于新疆阿勒泰地區阿勒泰市杜拉特。

群獸成縱列展開，最上爲大角羊，雙角高揚。其下爲馬，長頸細腰。下列爲牛，角或上揚，或前伸。

群獸

位于新疆阿勒泰地區阿勒泰市杜拉特。

畫面群獸中有鹿、牛、羊、馬、狐和象等動物。最奇特處在于表現一頭小象，長鼻上翹，尾下垂。畫面中還有一人伸雙臂面向獸群。

鹿 羊

位于新疆阿勒泰地區阿勒泰市駱駝峰。
畫面中有大角羊和鹿紋符號。羊軀體纖細，有單角和雙
角的區別。

鶴鳥啄魚

新疆阿勒泰地區阿勒泰市駱駝峰。
鶴鳥通體鑿雕，長頸細曲，身體前傾，叼啄魚之後鰭。
位于鶴魚上部還有一馬，馬頭稍殘。

新疆地區

羊鹿群像

位于新疆阿勒泰地區阿勒泰市郊區奶牛廠。

畫中圖像彼此重叠錯雜，内容爲動物圖像，彼此方向不一，神態各异，主要圖形爲大角羊，角枝高揚或生棱脊。其次爲鹿，角枝如樹。也有少量人物，或站立，或持弓，或騎馬前行。

奔鹿

位于新疆阿勒泰地區阿勒泰市雀兒溝。

畫面爲一群奔鹿，右側一排四隻，左側三隻。

生殖崇拜

位于新疆阿勒泰地區阿勒泰市雀兒溝。

畫面上部一人雙手叉腰，雙腿張開。其下爲圓頭形人物，雙手挂二小人。更下爲盤羊，最下爲一站立人像。

群羊行進

位于新疆阿勒泰地區布爾津縣也克阿沙。
岩面稍爲平整的岩石上刻滿循序漸進的羊群。羊雙大
角，軀體曲綫流暢。

群獸刻石

位于新疆阿勒泰地區哈巴河縣加爾塔斯闊臘斯。
畫面中描繪了大量的馬、盤羊、鹿和牛等動物，反映了
草原牧業的繁榮場景。

塘邊群獸

位于新疆阿勒泰地區吉木乃縣塔特克什闊臘斯。
畫面中有一水塘,周圍群獸麋集,主要有大角羊、牛、
馬和鹿等動物。畫面右側有兩組親昵擁抱的人像。

生殖崇拜

位于新疆阿勒泰地區吉木乃縣塔特克什闊臘斯。
畫面左上有兩人相向站立。左側人物較高大肥碩,雙手
前伸,生殖器前挺,直至女性下體,成媾合圖像。對面
女性形體稍小,兩手上舉迎合對方雙手。這一媾合圖右
下爲一鹿形動物及大角羊。

車輪

位于新疆阿勒泰地區吉木乃縣塔特克什闊臘斯。
主體爲一雙輪車，兩輪輪輻不等，雙輪之間的車篷近圓
形，稍小，置于車軸後部。長軸後部有一橫杠。車旁有
盤羊、狗等動物圖像。

生殖與放牧

位于新疆塔城地區裕民縣新地鄉。
畫面上有人物十二個，牛、馬、駝、羊等動物十一隻。
表現了男女媾合、孕育及放牧勞動等生活場景。

雙頭同體人像

位于新疆昌吉回族自治州呼圖壁縣康家石門子。

人像是呼圖壁康家石門子生殖崇拜岩刻畫面局部。人像居于畫面中心，雙頭同體，長臉、高鼻、大眼、細長頸，均戴雙翎冠，女性頸後有飄帶。

【 岩 畫 】

群舞和對馬

位于新疆昌吉回族自治州呼圖壁縣康家石門子。
舞者皆上彎右臂，下曲左臂，表演同一舞姿，中有兩人
腋下爲一對頭足相接的對馬。

猴面人媾合圖

位于新疆昌吉回族自治州呼圖壁縣康家石門子。

畫面中有一大耳，面若猴臉，戴雙角形頭飾的男子，正
在媾合之中，女性形體嬌小。這組圖像右側有另一組媾
合圖。

裙裝女性與媾合圖

位于新疆昌吉回族自治州呼圖壁縣康家石門子。

裙裝女性曾全身塗朱，圓臉，戴尖高帽，寬胸細腰，
着長裙。女性周圍都是裸體男子像，另有三男女并卧
媾合圖。

[岩 畫]

新疆地區

鹿
位于新疆昌吉回族自治州呼圖壁縣康家石門子。
鹿角呈樹枝狀，前足抬起做奔跑狀。

駿馬
位于新疆哈密地區巴里坤哈薩克自治縣八墙子村。
畫面中三匹駿馬或前蹄騰躍，或静立待發。兩匹
馬上已有騎手，馬體前胸粗壯，後臀渾圓。

馬 鹿 羊 鸛鳥

位于新疆哈密地區巴里坤哈薩克自治縣八墻子村。
畫面上有一匹静立的馬，一隻馬鹿，一隻北山羊，兩隻
并立的鸛鳥，還有可見馬頭的馬形圖。

征戰

位于新疆吐魯番地區托克遜縣柯爾碱村。
畫面上騎士兩人或手執弓箭，或手持長戈，一人頭戴月
形盔帽，身佩長劍，提鞭縱馬，擇路前進。前方有大角
羊群出没。

菱格幾何紋圖案

位于新疆巴音郭楞蒙古自治州且末縣莫勒切河谷。

主體圖案是在連續六組菱格內，填充縱橫相接的，以五橫一豎綫組成的圖案，形如漢字印章。這組菱格紋左右上下有變體"X"字紋和小菱格組成的團紋。菱格圖案左上爲一組綫條複雜的圖形，略似人面，頂部有三條豎綫似髮，面、身部位仍是橫、豎條文。菱格幾何形圖案左上角，可見幾頭羊類動物，左下爲一頭身軀肥碩的牦牛。

獸群與手印

位于新疆巴音郭楞蒙古自治州且末縣莫勒切河谷。

畫面上滿刻動物、手印和三角形圖案。自上而下，可以見出枝狀角的鹿、大角羊、持弓的獵手、馬、大量手印紋、壯碩的牦牛及九排集中在一起的側三角形圖案。

牦牛與鹿

位于西藏日土縣日姆棟。

畫面中動物形象裝飾性較强，鹿角誇張，動物身上飾渦
旋紋。

人物與符號

位于西藏日土縣日姆棟。

畫面中一人物呈蹲踞狀，其左側有太陽及"雍仲"符
號，下方有動物圖案。

豹逐鹿

位于西藏日土縣日姆棟。

圖中有三隻豹（或虎）追逐鹿群，鹿作回首奔逃狀。圖中間還有鷹、"田"形圖案和羚羊。

動物

位于西藏日土縣日姆棟。

圖中動物極富裝飾性，其角如鹿，但其身壯頸短，又如牛，身飾渦旋紋，造型生動。

動物

位于西藏日土縣魯日朗卡。

圖中動物種類有虎、馬、羊、牦牛和鹿等，右側隱約可見有騎獵者，反映了當時狩獵的主要對象。

狩獵

位于西藏日土縣魯日朗卡。

畫面中兩名獵手，其中一人居左上方，頭戴小帽，手執弓箭朝向一羊。另一人居中，雙手執弓箭朝向一羊，四周有羊和牦牛等動物。

公鹿
位于西藏日土縣康巴熱久。
畫面中公鹿作奔跑狀，身飾渦旋紋，鹿角呈捲草蔓枝狀。

部落生活
位于西藏日土縣塔康巴。
畫面中有五排列隊行走的人物，均背負重物，朝同一方向行走，其間還有牛、羊等動物。畫面中還有手執武器的武士和太陽圖案。

部落生活

位于西藏日土縣塔康巴。

圖中除反映部落生活的行走人物及牛、羊等畜養動物外，左側還有一站立在氈毯中央的特殊人物，他身着束腰袍衣，頭有羽飾，手持圓鼓，可能是施法的巫師。

動物

位于西藏日土縣多瑪區。

繪有牦牛、鹿、羊等動物，正中一牦牛頭頸下有一箭頭符號，似爲中箭之意。

騎者

位于西藏尼瑪縣夏倉。

畫面中共有四名騎者，騎者均執
繮策馬而行。最上方的一馬馱有
顆粒狀物，似爲青稞。

動物與符號

位于西藏尼瑪縣夏倉。

圖中一雙勾的反旋"雍仲"符號之
上有一桃形火焰，其下有一雄鹿。

動物與人物
位于西藏班戈縣其多山洞穴。

畫面中動物種類繁多，有牦牛、羊、鹿、馬和鳥等。左上方有兩個騎馬人物及日、月和"雍仲"符號，右下方有手執弓箭的人物和藏文字母。

牽馬人物
位于西藏尼瑪縣加林山。

人物戴帽，左手牽馬，作行走狀，右側馬背馱有物件。

武士
位于西藏當雄縣扎西島洞穴。

由四名武士構成,正中一人身着鎧甲,戴頭盔,執戰旗,右側二人分持刀、盾,左側亦有一持刀、盾武士與之相對。另有一人形象較模糊。

人物
位于西藏當雄縣扎西島洞穴。

畫面正中站立的六人均身着及地長袍,腰部較細,似爲女性,其周圍有動物。

花山岩畫中區畫面

位于廣西寧明縣花山。

此圖是花山岩畫整幅畫面的中部,保存相對完好,色彩
鮮明。

單髻正面人物

位于廣西寧明縣花山。

畫面中一橫綫上有二單髻人像，左側
人物單髻歪向一側，髻頂扁圓。另一
人物爲粗單髻。

戴獸形飾的巫覡

位于廣西寧明縣花山。

畫面中人物頭作圓形，頂有單髻，髻
上有獸形飾，右手挂三角形短劍，腰
挂環首刀，胯下有馬。馬張口，豎
耳，翹尾，四腿叉開，作行進狀態。

祀鬼神圖

位于廣西寧明縣花山。
畫面中右排上起第一
人爲佩雙刀者；第二
人頭插兩根長羽，腰
佩刀，兩腿間跪一側
身女性；第三人頭飾
雙羽；第四人頭頂上
有一銅鼓，鼓緣與手
臂相連。正面人身前
又有五位側身人像。
第三排人像也以正面
者居多，但身材相對
矮小。

祭鼓圖

位于廣西寧明縣花山。
畫面上方爲銅鼓圖
像，鼓下方有二正面
人像，爲首者騎馬，
頭飾雙羽，兩手抓一
側身人。

祭鼓圖

位于廣西寧明縣花山。

畫面右下方由八人像組成一幅圖像。爲首者右臂旁有一
個銅鼓，鼓面太陽紋六芒。其右側一飾雙羽的正面人
像，左手執一側身人的頸部。被執者仰首，雙手前伸，
捧着一面五芒銅鼓，面向爲首者，似進獻狀。爲首者下
方，有三個飾羽的正面人像，右側一人，其右手似托一
個人頭。

獻俘圖

位于廣西寧明縣花山。

畫面場景熱烈，約有人像五十九個，右上方有一高大正
面人像，頭飾雙髻。其左側和下方各有一群正面人像，
手執小人而舞。外圍還有舞者，姿態各异。

祀河圖

位于廣西寧明縣花山。

畫面中部爲一組圖畫，現可辨識者二十人像。正中一高大正面人像，頭飾雙羽，左臂很長，并叠壓在一圖像上面，腰間佩劍，騎馬。其右側人像僅存一個雙髻側身人像，面向騎者。左側人像皆面向騎者，列爲四橫排。上排有兩面銅鼓，左鼓較大有八芒，右鼓六芒，鼓緣上下兩端各有一對鼓耳。兩耳間有一鼓手，面向大鼓。小鼓側有三個側身人像。二排見五人，在一曲形粗綫上，綫前端上翹。三排見七人，前四人在一曲綫上，綫前端上翹。綫并有飾物，頗似銅鼓上的船紋。第四排衹存一人殘體。

雙髻 佩刀 騎馬人物

位于廣西寧明縣花山。

圖中部是一個騎馬的正面人像，頂上梳雙髻，腰挂環首刀，左臂挂側身小人像，人像造型呈跪式。臂上方有銅鼓一面，太陽紋已殘缺。右手邊有兩面銅鼓。騎者兩側的人像，多已剝落。

人祭圖

位于廣西寧明縣花山。

畫面上方中部的一正面人像，頭飾雙羽，腰佩長劍，騎馬。騎馬者右臂上方有二側身人像和一面銅鼓。騎馬者下方有一群人像，大致可分爲兩排，上排有六人兩鼓，下排有五人，中部爲一騎馬者，左手執一劍，右手抓住一側身人的上肢，作揮劍砍殺之狀。

祀河圖

位于廣西寧明縣花山。

畫面中船兩端上翹，船頭似鳥形，船尾有竪立的棒狀物體，船上共有五側身人像，伸手曲腿。

祀河圖與祀鬼神圖

位于廣西寧明縣花山。

畫面左邊一組共有十八個人像，中部一正面人像，飾羽、佩劍，其上方及左側有三排人像，上、中兩排人像爲側身，下排是正面人像，中排船挂一鼓。右邊一組畫面以一巨人爲中心，其頭頂隆起，單髻飾羽，面部突出若獸形。在其周圍簇擁着衆多人像。其左側人群中有二人在擊鼓，還有一正面人，頭飾似兩叉角，面額突出，似獸頭狀，面部畫一個圓圈，似戴面具。

獻俘圖

位于廣西寧明縣
花山。

畫面共有四十個人
像。畫面右上方有
一騎馬的魁偉人
像，馬後有一頭插
雙羽的側身人像，
雙手舉一小人，面
向騎者，作進獻
狀。騎者右下方第
二排舞者，手上多
有小人像。人群中
有銅鼓，表現擊鼓
歌舞場面。

騎馬圖

位于廣西靖西縣
東山。

爲一騎馬圖像。
在鑿刻的基礎上
填塗紅色顏料。

人物與動物
位于廣西大新縣猴山。
畫面中人物與動物形態各
异，騎者手執武器，雙腿
深至馬腹下。

武士
位于廣西扶綏縣紅岩山。
畫面爲一正面人像，頭作
空心圓狀，無頸，身軀填
實，一臂彎曲向下，一臂
上揚，均執條狀武器，腿
作奔跑狀。

帽合山岩畫中部畫面

廣西金秀縣帽合山。

畫面正中是一粗大的男性生殖器，其左上方爲一條飛
龍，右上方是一隻飛鳥，它們周圍密布人面像和符號。

歡呼的人群

位于雲南滄源佤族自治縣
曼帕。

畫面繪一群人物，係用綫
條勾畫，身軀未塗顏色，
均雙手上舉，作歡呼狀。

人群

位于雲南滄源佤族自治縣
曼帕。

人物均張臂，叉腿站立，
似在進行某種儀式。間隙
處飾有符號及花紋。

鬥牛

位于雲南滄源佤族自治縣曼帕。

畫面中爲兩頭彎角的野牛，相對而立，進行決鬥，四周是站立圍觀的人群。

村落

位于雲南滄源佤族自治縣丁來。

圓頂和三角頂的房屋下有屋柱，村落中間的房屋繪有一人作舂搗狀。

道路上的人物圖像

位于雲南滄源佤族自治縣丁來。

畫面描繪的是行走在道路上的人群，有的徒手，有的手執器械和武器等物。

趕猪

位于雲南滄源佤族自治縣丁來。

畫面爲在一條小路上一人驅趕着一頭猪前行，後面還跟隨一頭猪。

捕猴

位于雲南滄源佤族自治縣曼坎。

畫面描繪的是一條彎曲的路上猴群爬行向前，有二人手
持長方形網狀物等待猴群。

人物生活圖

位于雲南滄源佤族自
治縣曼。

畫面中圖像密集，有
居室、巫師和飛禽等
圖案。

太陽與人

位于雲南滄源佤族自
治縣洋德海。

左側爲一光芒四射的太
陽，中有一人，手持弓
箭。右側一人姿態與左
側人相仿，而頭部戴有
長長的羽飾。應爲祭祀
太陽之意。

拜月

位于雲南滄源佤
族自治縣勐省。
畫面描繪人們祭
拜月亮的場景，
中間繪畫有弧綫
的圓圈，下面是
歡呼的人群。

狩獵

位于雲南滄源佤
族自治縣勐省。
畫面描繪的是一
組場面較大的狩
獵場景。

[岩 畫]

戰争
位于雲南滄源佤族自治縣勐省。

全圖分三個内容：上部繪盾牌舞，中間爲一牧牛者，下部表現激烈的戰争場面。

馴牛
位于雲南滄源佤族自
治縣勐省。
畫面描繪的是人們正
在馴養野牛的場景。

捕獸
位于雲南耿馬傣族佤
族自治縣大芒光。
畫面爲二手持圓形器
物的人，在追捕兩隻
野獸。中間有一手印
圖像。

岩畫全景

位于雲南麻栗坡縣大王岩。

畫面主體爲兩個站立的裸體人像，人像上部及左側還繪
有小人。主體人像用紅、黑、白三種顏色繪製。

人物
位于雲南石林彝族自治
縣石林。
畫面中間一人頭爲圓圈
形，頭頂繪有一對牛
角，腰部配有兵器。

樹
位于雲南丘北縣黑
菁龍。
此樹樹葉爲羽毛狀。

奔馬（上圖）

位于貴州開陽縣平寨鄉畫馬崖小岩口。
畫面中馬昂首，前蹄騰空作奔跑狀。

迎神

位于貴州開陽縣平寨鄉畫馬崖大岩口。
畫面上方正中爲太陽紋，下方爲馬形圖案。

牧馬

位于貴州關嶺縣花江
普利鄉馬馬崖。

畫面分兩組。第一組
位于左上方,有三匹
奔馬和一隻鳥。第二
組位于中下部,有六
人一馬一狗。

牧馬人

位于貴州關嶺縣花江
普利鄉馬馬崖。

畫面中人騎于一匹奔
馬之上,上方爲一覓
食的鳥。

牧馬

位于貴州長順縣平寨鄉紅洞。
畫面中兩人各騎一馬分列上
下，中間爲放牧的駿馬，左上
角有一雄鷹。

圍獵

位于貴州長順縣平寨鄉紅洞。
畫面中尚能辨認的有人、馬和
狗等十餘个圖案。

球戲

位于四川珙縣麻塘壩。

畫面描繪人們日常球戲
場景。圖中右側人物騎
于馬上,左側人物站于
馬前。圖上方還繪有太
陽和鳥類等圖案。

群舞

位于福建省華安縣沙建
鄉仙字潭。

人像綫條單純,造型抽
象,所呈現的爲祭祀水神
的舞蹈。

人面像

位于江蘇連雲港市海州區錦屏山將軍崖。

將軍崖岩畫刻于長22米、寬15米的平整黑褐色
岩石上，岩畫分爲三組，內容爲人面、植物、鳥
獸、星雲、各種符號和祭祀石等。此組陣面分布
于將軍崖的西側，全長4米，高2.8米，主要表現衆
多人面，人面多與下端植物連結，意爲祈求農作
物豐收。人物無耳、黥面、眼圓睜。

太陽

位于江蘇連雲港市海州區錦屏山將軍崖。

畫面三個太陽呈三角形排列，太陽外圈均有表示光芒的放射綫。

動物頭骨及符號

位于江蘇連雲港市海州區錦屏山將軍崖。

畫面左上爲一動物頭骨形象，雙目圓突，頭似有冠。右下爲一在圓圈内刻一"大"字形的符號。

水禽

位于江蘇連雲港市海州區岡嘴村。

畫面爲一隻水鳥游于水面。

房屋與樹

位于江蘇連雲港市海州區岡嘴村。

畫面爲一房屋和兩棵樹。

人 船 圖騰

位于廣東珠海市高欄島寶鏡灣。

畫面內容主要有站立的人體、船和蛇圖騰等圖案。

人像和船

位于廣東珠海市高欄島寶鏡灣。

人像揮舞雙臂、叉開雙腿，作舞蹈狀，左側有一船形圖案，四周飾波紋，綫條抽象。

版畫

《陀羅尼神咒經》圖

唐

發現于陝西西安市唐墓。

中央框內爲一立佛和一跪姿供養者，人物施彩。框外四周繞刻漢文經咒，外欄刻各種手印。經咒文字殘缺，經名存《佛□□□得大自在陀羅尼神咒經》，即《佛說隨求即得大自在陀羅尼神咒經》，此經爲寶思惟譯于

武周長壽二年（公元693年），唐肅宗乾元元年（公元758年）不空據梵本重譯，易名《普遍光明清淨熾盛如意寶印無能勝大明王大隨求陀羅尼經》，從此寶思惟的舊譯本不甚流行。所以此幅經咒印制時間上限爲公元693年，下限應爲公元758年或其後數年。

現藏陝西省西安碑林博物館。

梵文《陀羅尼經咒》圖

唐

發現于四川成都市望江樓唐墓。

正中爲菩薩八臂執法器坐于蓮座上，菩薩四周繞刻梵文經咒，外欄間刻菩薩像及法器。印本右側刻題"成都府成都縣龍池坊　　近卜　　印賣咒本"一行。此經咒爲唐至德二年至大中四年（公元757-850年）成都卜家刊刻。

現藏中國國家博物館。

梵文《陀羅尼經咒》圖

唐

發現于陝西西安市長安區。

正中爲坐于蓮座的菩薩，菩薩四周繞刻梵文經咒，外欄
刻各種法器。

現藏陝西省西安碑林博物館。

《金剛般若波羅蜜經》卷首圖

唐

發現于甘肅敦煌千佛洞。

卷首爲《説經圖》，圖後爲經文，卷末刻有"咸通九年四月十五日王玠爲二親敬造普施"字樣。咸通九年爲公元868年，此圖爲已知最早的有準確紀年的版畫作品。現藏英國倫敦大英博物館。

大聖毗沙門天王像

五代十國·後晋

發現于甘肅敦煌千佛洞。

上部爲毗沙門天王像，下部爲題記文字。題記有"歸義

軍節度使特進檢校太傅譙郡曹元忠請匠人雕此印板……
于時大晋開運四年丁未歲七月十五日紀"，後晋開運四
年爲公元947年。

現藏法國巴黎圖書館。

唐五代十國（公元六一八年至公元九六〇年）

大聖文殊師利菩薩像
五代十國
發現于甘肅敦煌千佛洞。

文殊騎獅，手持如意，神態安詳。童子合掌作拜謁狀，牽獅人作西域裝束，下欄刻五字心真言。
現藏中國國家圖書館。

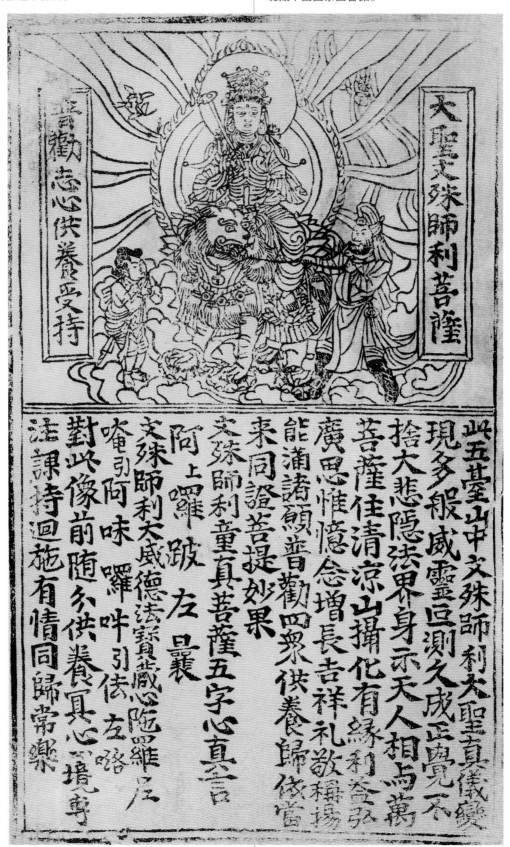

大慈大悲救苦觀世音菩薩像

五代十國·後晉

發現于甘肅敦煌千佛洞。

圖中菩薩赤足立于蓮花之上，雙臂繞長帛。像右題"歸義軍節度使檢校太傅曹元忠造"，圖像之下刻發願文，末題"時大晉開運四年丁未歲七月十五日紀　匠人雷延美"。後晉開運四年爲公元947年。

現藏英國倫敦大英博物館。

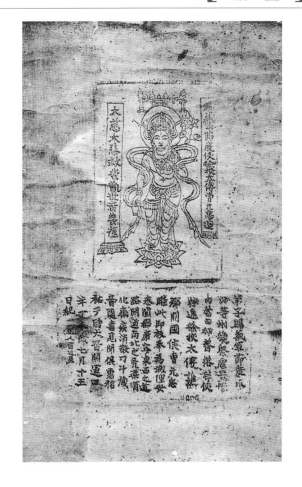

《寶篋印經》卷首圖

五代十國·吳越

發現于浙江杭州市雷峰塔。

圖中表現吳越國王錢弘俶之妃黃氏拜佛的情景。卷首題"天下兵馬大元帥吳越國王錢俶造此經八萬四千卷……乙亥八月日紀"，乙亥爲吳越使用北宋年號的天寶八年（公元975年）。

現藏浙江省博物館。

《妙法蓮華經》卷首圖

遼

發現于山西應縣佛宮寺釋迦塔。

《妙法蓮華經》共存十五卷，卷首多有插圖。選一幅。

現藏山西省應縣文物保管所。

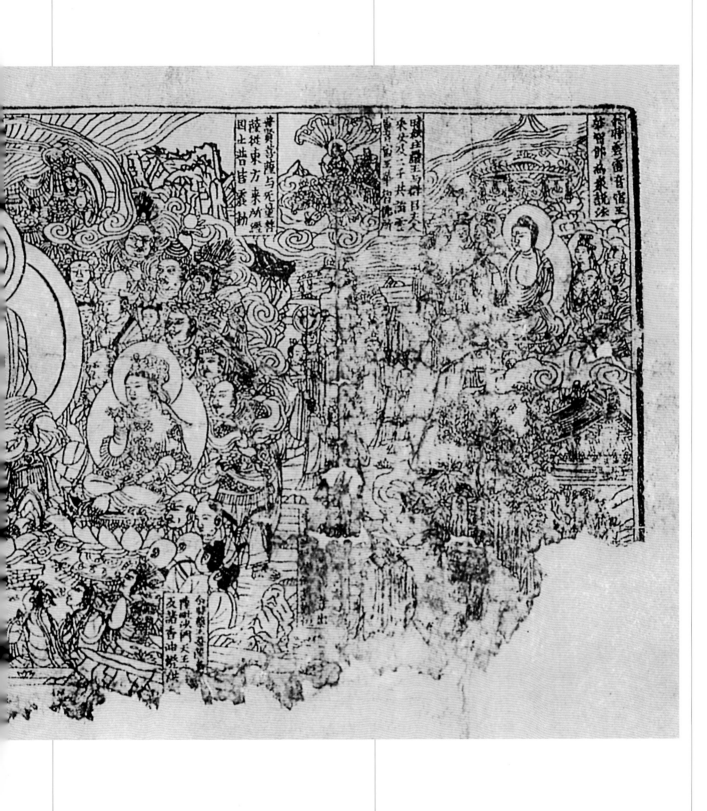

南無釋迦牟尼佛像

遼

發現于山西應縣佛宮寺釋迦塔。

此像爲漏印套版彩色版畫。大體爲先紅後藍兩次印成，

黃色爲刷染，五官、衣領等處以筆勾畫。

現藏山西省應縣文物保管所。

《大隨求陀羅尼》曼陀羅圖

北宋

發現于甘肅敦煌千佛洞。

畫面中部爲環形梵文經咒，内有菩薩坐像，畫面四周排

布花形菩薩、童子及天王像。題記有"太平興國五年六月二十五日雕板畢手記"字樣，太平興國五年爲公元980年。

現藏法國巴黎圖書館。

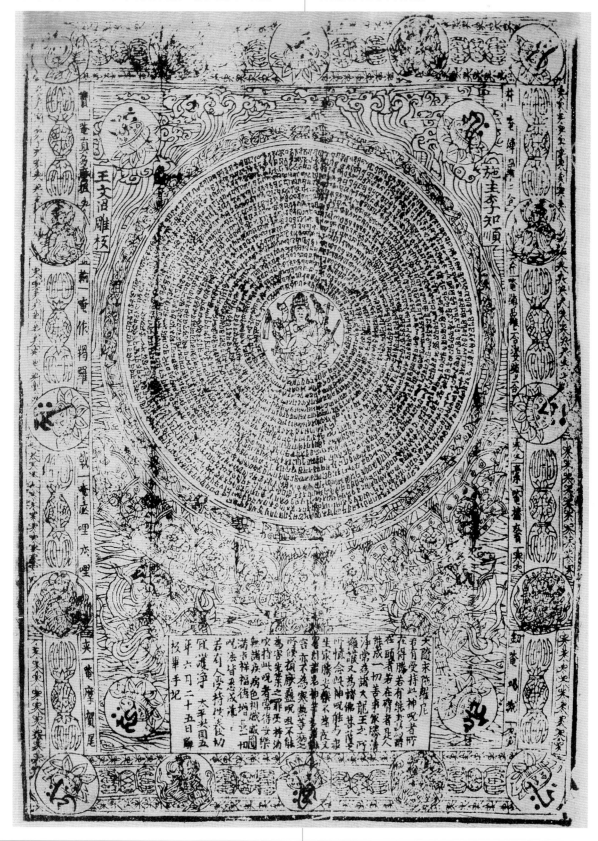

彌勒菩薩像

北宋

圖右上角刊"待詔高文進畫"，左上角刊"越州僧知禮雕"，中左刊"甲申歲十月丁丑朔十五日辛卯雕印普施"，甲申歲爲北宋雍熙元年（公元984年）。

現藏日本京都清凉寺。

靈山説法變相圖

北宋

圖中内容爲"法華經變"
的靈山説法。
現藏日本京都清凉寺。

弟子基一
心頂礼妙
法蓮華經
釋迦多寶
如来全身
舍利寶塔

御製秘藏詮山水圖

北宋

此圖以大面積山水爲背景，表現高僧在廬中、蔭下、水畔爲衆僧講經的情景。題記刊"時皇宋大觀二年歲次戊子十月"字樣，大觀二年爲公元1108年。此圖爲中國已知最早的山水版畫。

現藏美國哈佛大學福格美術館。

御製秘藏詮山水圖之一

遼北宋西夏金南宋（公元九一六年至公元一二七九年）

御製秘藏詮山水圖之二

塔幢形佛畫

西夏

發現于寧夏賀蘭縣拜寺溝方塔。
畫面呈塔幢形，由寶蓋、塔身、底座三
部分組成。寶蓋兩側流蘇下垂，塔身中
央置頂髻尊聖佛母，佛母三面八臂，手
中各持法器，周圍排列梵文經咒。
現藏寧夏博物館。

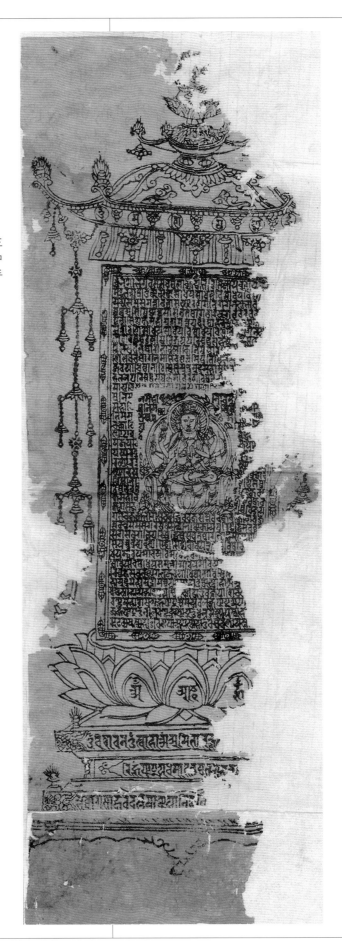

《觀彌勒菩薩上生兜率天經》卷首圖
西夏
發現于內蒙古額濟納旗黑水城遺址。
西夏文刻本。
現藏俄羅斯艾爾米塔什博物館。

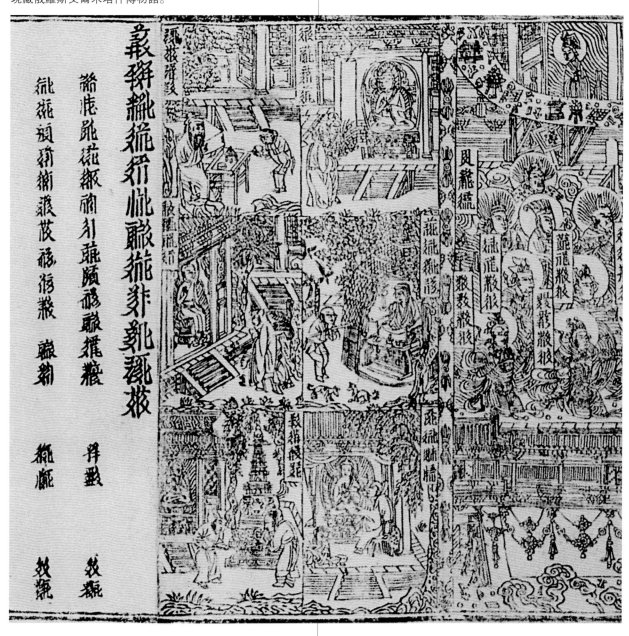

遼北宋西夏金南宋（公元九一六年至公元一二七九年）

《金刻大藏經》卷首圖

金

金皇統九年至大定十三年（公元1149–1173年）趙城廣
勝寺刊刻《大藏經》，稱《金藏》，又稱《趙城藏》。
卷首畫表現釋迦説法場景。
現藏中國國家圖書館。

義勇武安王像

金

發現于內蒙古額濟納旗黑水城遺址。
圖中繪關羽，當是作爲神座而奉祀
之用。題記刊"平陽府徐家印"。
現藏俄羅斯艾爾米塔什博物館。

遼
北
宋
西
夏
金
南
宋
（
公
元
九
一
六
年
至
公
元
一
二
七
九
年
）

四美人圖

金

發現于内蒙古額濟納旗
黑水城遺址。

圖中四美人爲班姬、趙
飛燕、王昭君和綠珠。

題記刊 "平陽姬家雕
印"。

現藏俄羅斯艾爾米塔什
博物館。

佛國禪師文殊指南圖贊

南宋

經卷式，共五十四圖，講述五十三種修菩薩行的法門。
上圖下文，爲佛弟子刊記之童蒙讀物。末有"臨安府衆
安橋南街東開經書鋪賈官人宅印造"。選一幅。
現藏日本京都國立博物館。

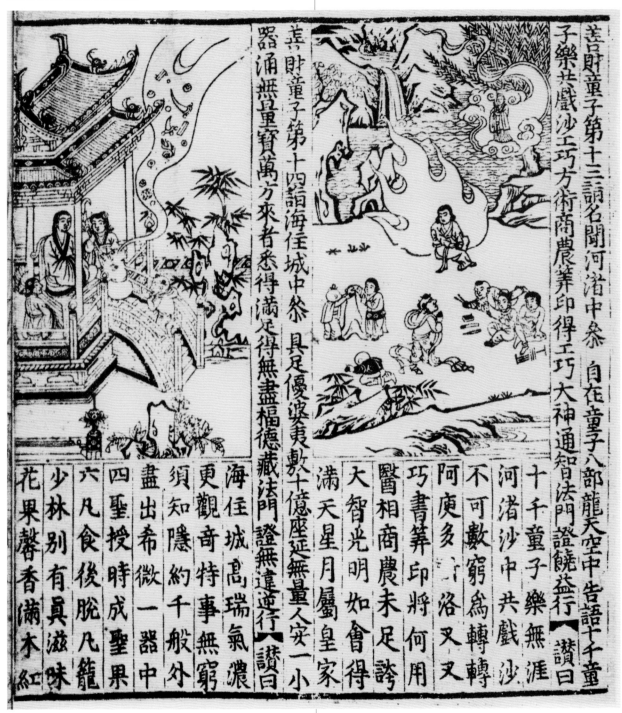

《大字妙法蓮華經》卷首圖

南宋

南宋慶元年間（公元1195-1200年）刊本。

右側表現釋迦説法，左側表現拜塔、禮佛等内容。

《妙法蓮華經》卷首圖

南宋

經折裝，圖由五頁組成一整幅。中部爲釋迦高坐蓮臺之
上，四周列立諸王及天子百官朝聖，天空中爲文殊、普
賢及諸佛乘雲而來。卷末有"臨安府衆安橋南賈人經書
鋪印"題記。

現藏中國國家圖書館。

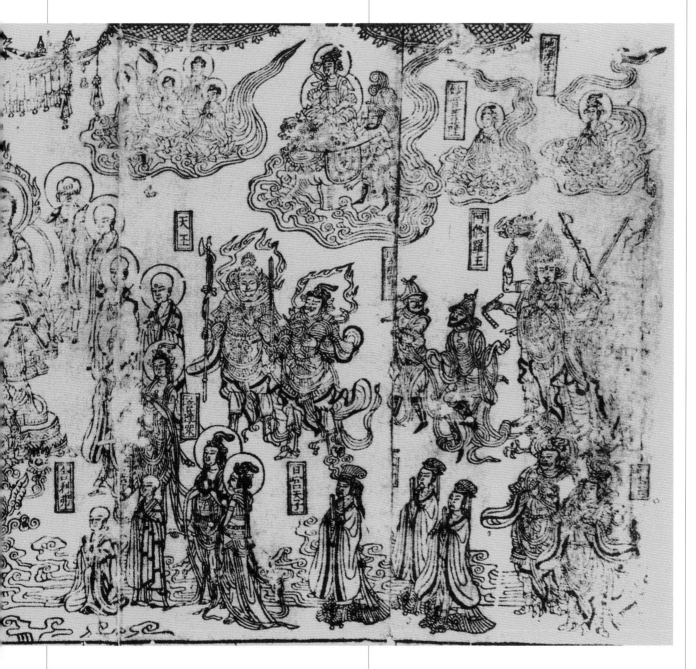

遼北宋西夏金南宋（公元九一六年至公元一二七九年）

《纂圖互注荀子》插圖
南宋

南宋嘉定年間（公元1208－1224年）建安刊本。
此幅爲《荀子·禮論》篇插圖，上圖下文。

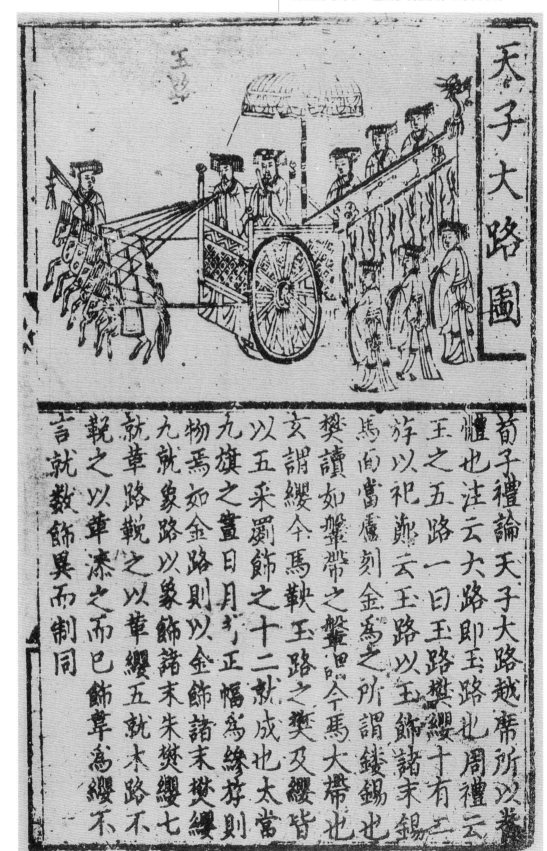

《東家雜記》插圖

南宋

《東家雜記》刻于南宋初期,南宋中期補版時插入此圖。

表現孔子登杏壇撫琴歌詩,與弟子叙《書》傳禮的情形。
現藏中國國家圖書館。

《磧砂大藏經》卷首圖

南宋

南宋紹定四年至元至治二年(公元1231-1322)平江府陳

湖磧砂延聖院刊刻《大藏經》，稱《磧砂藏》。卷首圖用綫繁密，人物多加變形，富有裝飾趣味。題記有"陳升畫"、"陳寧刊"，當刻于南宋。

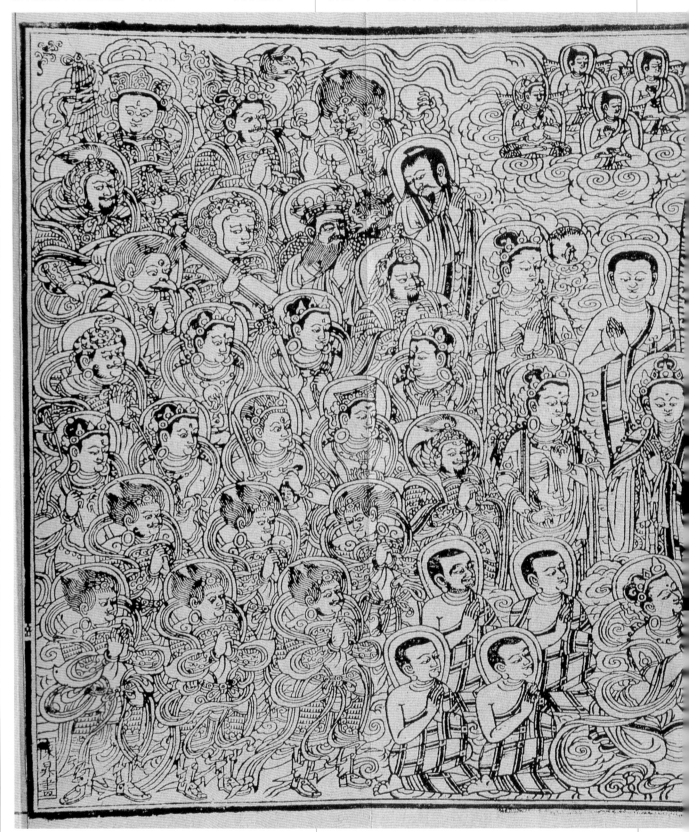

梅花喜神譜

南宋

初刻本不傳，此本爲南宋景定二年（公元1261年）金華雙桂堂重刻。内收對景寫生梅花百幅，爲中國現存最早的一部畫譜。選二幅。

現藏上海博物館。

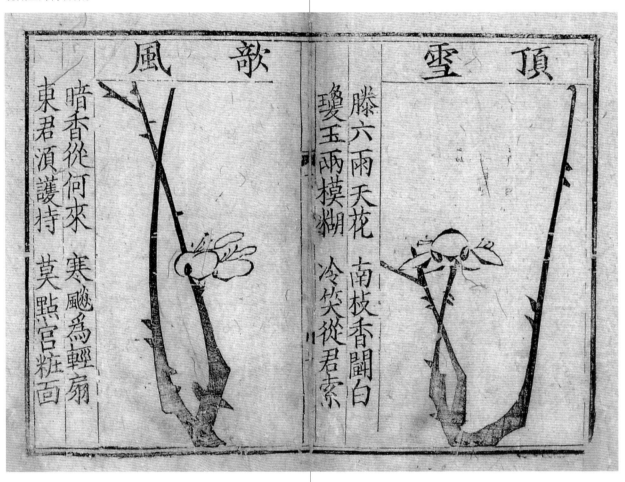

東方朔盜桃圖

南宋

爲1973年西安碑林整修《石臺孝經》時發現。表現東

方朔肩扛桃枝，回首張望。畫面濃墨、淡墨和淡綠色相間。

現藏陝西省西安碑林博物館。

《孔子祖庭廣記》插圖

元

蒙古乃馬真后元年（公元1242年）曲阜孔氏刻本。選一幅。

現藏中國國家圖書館。

《大觀本草》插圖
元
元至元年間（公元1341-1367年）重刊本。選二幅。

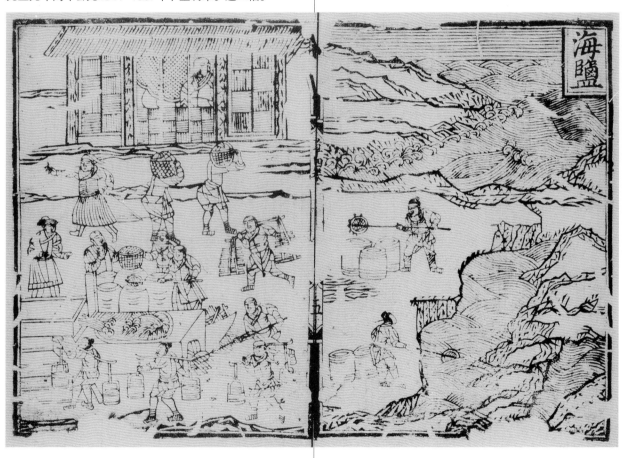

《現在賢劫千佛名經》卷首圖

元

圖上部正中爲譯場總主持，兩旁各有八位僧俗助譯者。
圖下部正中置供案，案兩側男女分別題爲西夏國王和皇
太后。此圖應有西夏時期的版本爲依據。
現藏中國國家圖書館。

《圜悟禪師語録》插圖

元

元大德二年（公元1298年）思州華嚴寺普南刊本。畫面三人，一坐二立，中爲圜悟禪師。爲中國最早的肖像版畫。

現藏日本。

《新刊素王事紀》插圖
元

原題《新刊標題句解孔子家語附素王事紀》，元至大二

年至泰定元年（公元1309－1324年）蒼岩書院刻本。此幅"魯司寇像"爲孔子造像。
現藏日本。

《無聞和尚金剛經注》圖

元

元至元六年（公元1340年）中興路
（今湖北江陵）資福寺刊本。用朱墨兩
色套印，經文正文及插圖用紅色，注文
及圖中松枝用墨色。

現藏臺灣"中央圖書館"。

《事林廣記》插圖

元

原題《纂圖增新群書類要事林廣記》，元至元六年（公

元1340年）鄭氏積誠堂刻本。插圖内容爲元代種種生活場景，是一種日用百科大全。選一幅。

現藏北京大學圖書館。

《武王伐紂平話》插圖

元

元至治年間（公元1321–1323年）福建書肆虞氏刻本。

上圖下文，圖雙頁連式。選一幅。

現藏中國國家圖書館。

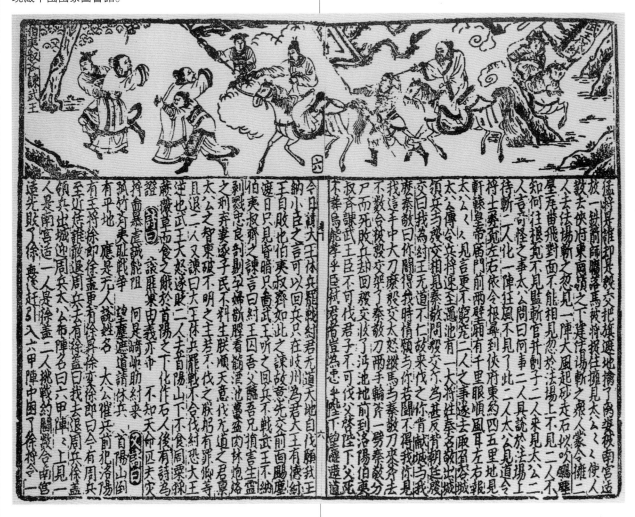

《妙法蓮華經觀世音普門品》圖
明
明永樂年間(公元1403-1424年)刊本。
現藏中國國家圖書館。

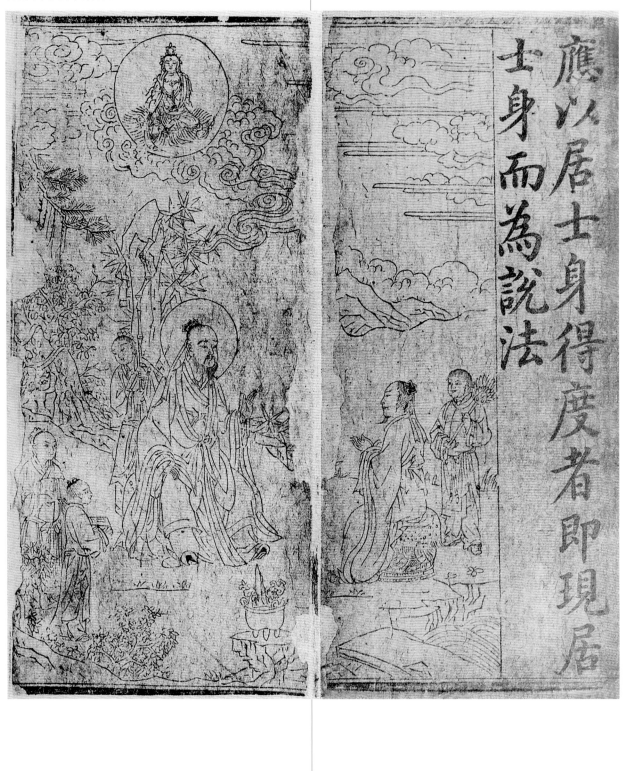

《釋氏源流應化事迹》插圖
明
明永樂年間（公元1403-1424年）刊本。上下二卷，上

圖下文。選一幅
現藏江蘇省蘇州市西園寺。

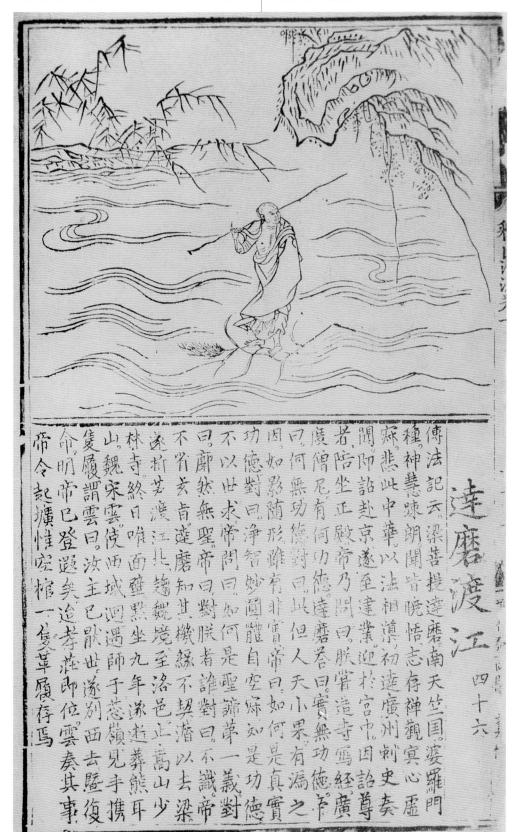

達磨渡江　四十六

傳法記云。梁菩提達磨南天竺國，婆羅門種，神慧疎朗，聞皆曉悟，志存禪觀，宴心虛寂，悲此中華，以法相遇。初達廣州，刺史表奏聞。即詔赴京。遂至達業，迎於宮中，因詰尊者陛下正殿，帝曰朕嘗造寺寫經度僧不可勝紀，有何功德，達磨若曰，此但人天小果，有漏之因，如影隨形，雖有非實。因曰如何是真實功德，對曰淨智妙圓，體自空寂，如是功德不以世求，帝問曰，如何是聖諦第一義，對曰廓然無聖，帝曰，對朕者誰，對曰不識，帝不契，遂潛以去，渡江至洛，邑止高山少林寺，終日唯面壁黙坐九年，遂斯魏北，趨魏境至遂越至洛，遂斯遊熊耳山于熊嶺，携隻履謂雲曰次主已登遐復，命明帝已遇師西域迴，隻履謂雲曰，主已登遐，次主已立，帝令起擴惟，棺一隻草履存焉，命明帝選奏道孝莊師即位，雲奏其事。

明（公元一三六八年至公元一六四四年）

明
（公元一三六八年至公元一六四四年）

鬼子母揭鉢圖

明

明永樂年間（公元1403–1424年）刊本。爲《金剛經》
卷首圖，十頁連式。此爲局部。
現藏中國國家圖書館。

《天妃經》卷首圖

明

明永樂十八年（公元1420年）刊本。六頁連式。

明
（
公
元
一
三
六
八
年
至
公
元
一
六
四
四
年
）

《嬌紅記》插圖

明

明宣德十年（公元1435年）金陵積德堂刊本。插圖單
頁方式，共八十六圖。選一幅。

現藏日本。

《大雲輪請雨經》卷首圖
明
明正統五年（公元1440年）內府刊《大藏經》本。
現藏中國國家圖書館。

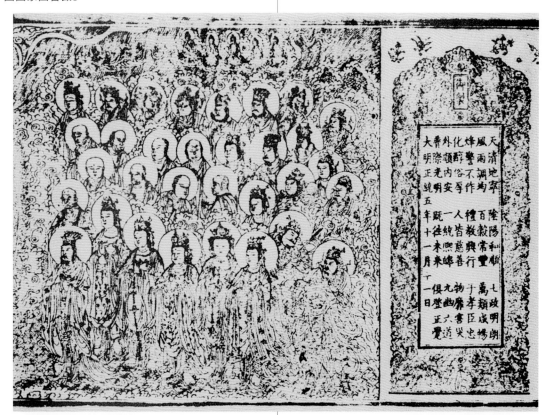

《道藏》卷首圖

明

明正統十年（公元1445年）內府刊本。七頁連式。

現藏中國國家圖書館。

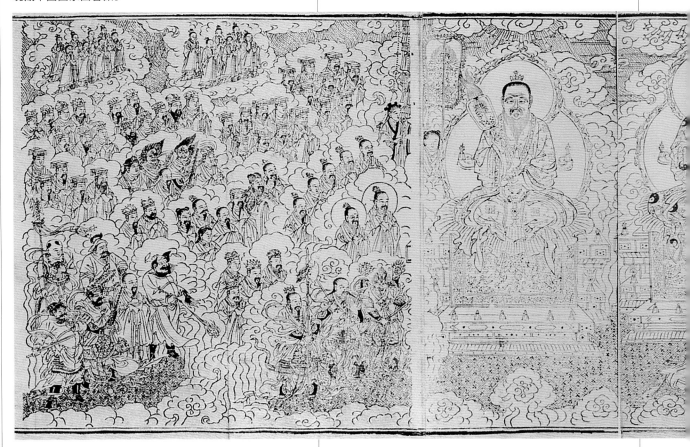

《飲膳正要》插圖

明

明景泰年間（公元1450-1457年）内府刊本。書中詳述

育嬰妊孕，飲膳衛生，食性宜忌等養生内容。插圖單頁方式。選一幅。

水陸道場懺法神鬼像圖
明

明成化年間（公元1465–1487年）刊本。選一幅。
現藏中國國家圖書館。

【 版 畫 】

歷代古人像贊

明

明弘治十一年（公元1498年）刊本。繪自伏羲至黄山
谷四十餘人，爲古代畫像書之典範。此幅爲倉頡像。
現藏中國國家圖書館。

《西廂記》插圖

明

明弘治十一年（公元1498年）京師金臺岳家重刊本。

上圖下文，插圖多頁連式。選一幅。

現藏北京大學圖書館。

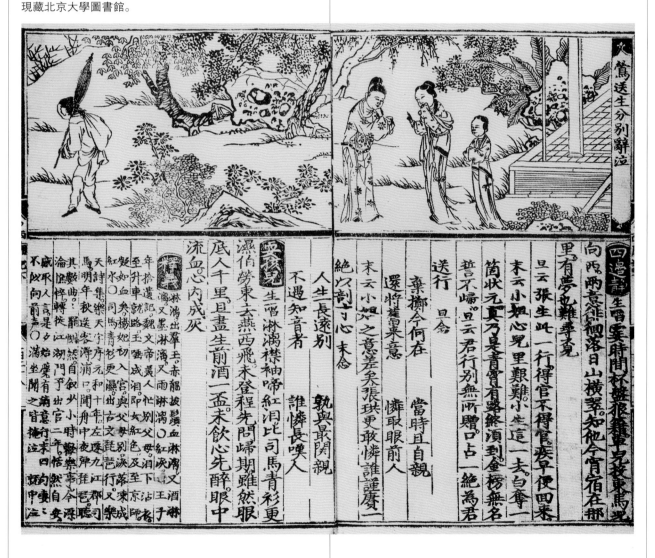

便民圖纂
明

明弘治年間（公元1488－1505年）蘇州刊本。上詞下圖，插圖單頁方式。選一幅。

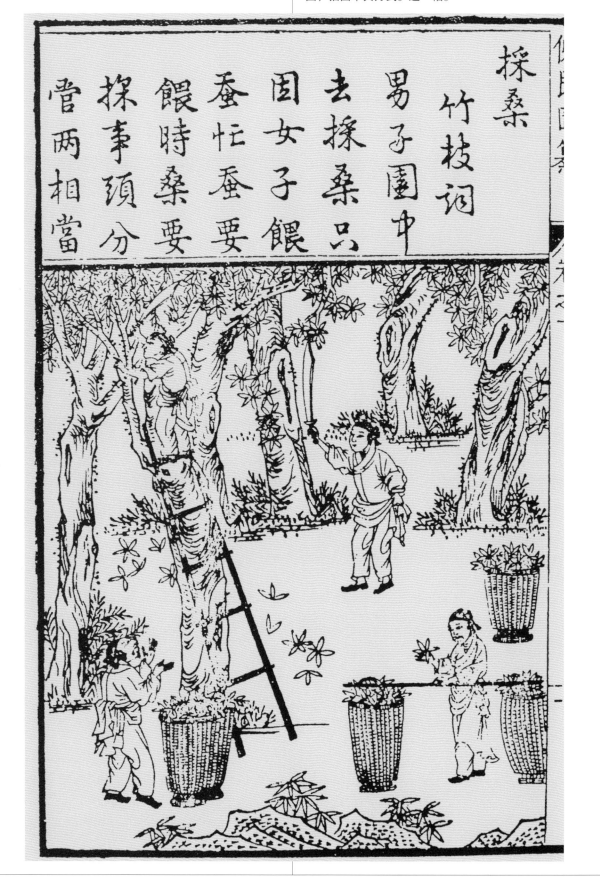

採桑竹枝詞
男子園中去採桑只
固女子餵
蠶忙蠶要
餵時桑要
採事須分
曾兩相當

《武經總要前集》插圖

明

明弘治、正德年間（公元1488-1521年）重刻宋紹定
本。插圖單頁方式和雙頁連式。選一幅。
現藏上海圖書館。

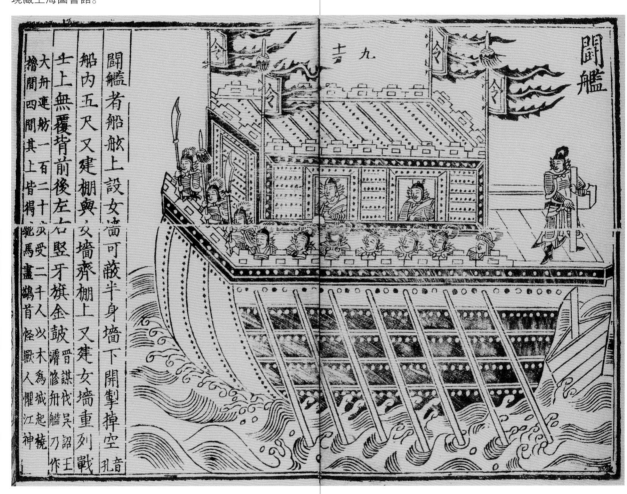

《農書》插圖

明

明嘉靖九年（公元1530年）山東布政使刊本。插圖單
頁方式和雙頁連式。選一幅。
現藏山東省圖書館。

《雪舟詩集》插圖
明
明嘉靖二十五年（公元1546年）刊本。插圖雙頁連式。
所選一幅利用墨色版，襯托出雪天景色。
現藏美國。

《蟲經》插圖

明

明嘉靖年間（公元1522–1566年）刊本。選一幅。

現藏上海圖書館。

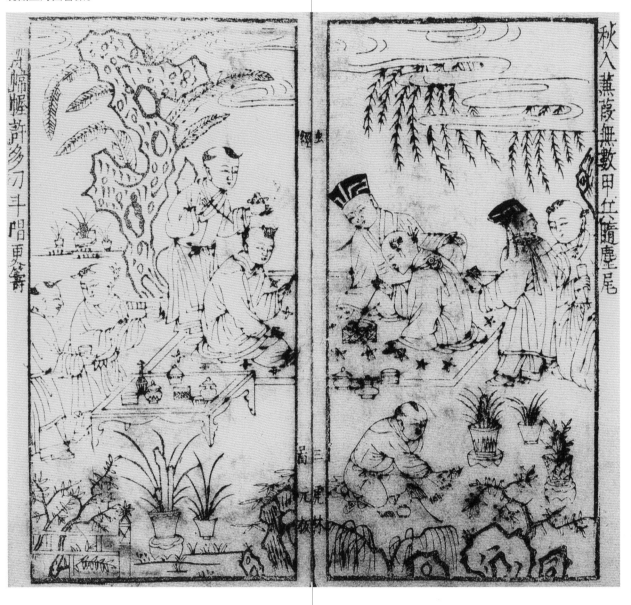

高松畫譜
明
明嘉靖年間（公元1522－1566年）刊本。選一幅。
現藏中國國家圖書館。

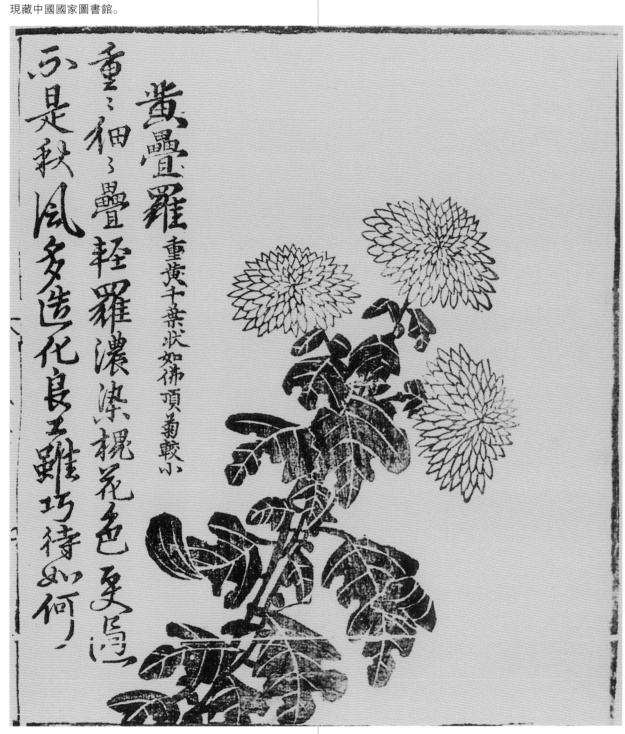

帝鑒圖説

明

明萬曆元年（公元1573年）刊本。插圖雙頁連式，繪
帝王善可爲法者與惡可爲戒者之故事。選一幅。
現藏安徽省博物館。

《目連救母勸善戲文》插圖

明

明萬曆十年（公元1582年）新安高石山房刊本。插圖
單頁方式和雙頁連式。選一幅。
現藏中國國家圖書館。

明（公元一三六八年至公元一六四四年）

古先君臣圖鑒

明

明萬曆十二年（公元1584年）益藩（今四川省成都市）刊本。

繪刻自太古至元代君臣一百四十三人，并附傳贊。插圖單頁方式。選一幅。

現藏日本。

元世祖

《古今列女傳》插圖

明

明萬曆十五年（公元1587年）金陵富春堂刊本。圖上
方通刊標題，兩側鎸以聯語，爲富春堂戲曲諸本的獨特
版式。選一幅。
現藏中國國家圖書館。

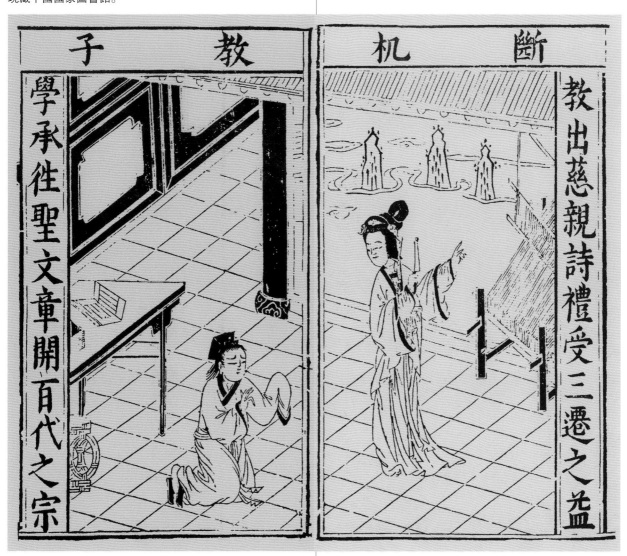

明（公元一三六八年至公元一六四四年）

《孔聖家語》插圖

明

明萬曆十七年（公元1589年）武林吳嘉謨刊本。插圖

單頁方式。選一幅。

現藏中國國家圖書館。

《忠義水滸傳》插圖
明
明萬曆十七年（公元1589年）天都外臣序刊本。插圖

單頁方式。選一幅。
現藏中國國家圖書館。

《三國志通俗演義》插圖

明

明萬曆十九年（公元1591年）金陵萬卷樓周曰校刊
本。插圖雙頁連式。選一幅。
現藏北京大學圖書館。

《三遂平妖傳》插圖

明

明萬曆二十年（公元1592年）錢塘汪慎修刊本。插圖
雙頁連式。選一幅。
現藏北京大學圖書館。

明（公元一三六八年至公元一六四四年）

《養正圖解》插圖

明

明萬曆二十二年（公元1594年）新安汪氏玩虎軒刊

本。插圖單頁方式，共六十圖，丁雲鵬繪。選一幅。
現藏上海復旦大學圖書館。

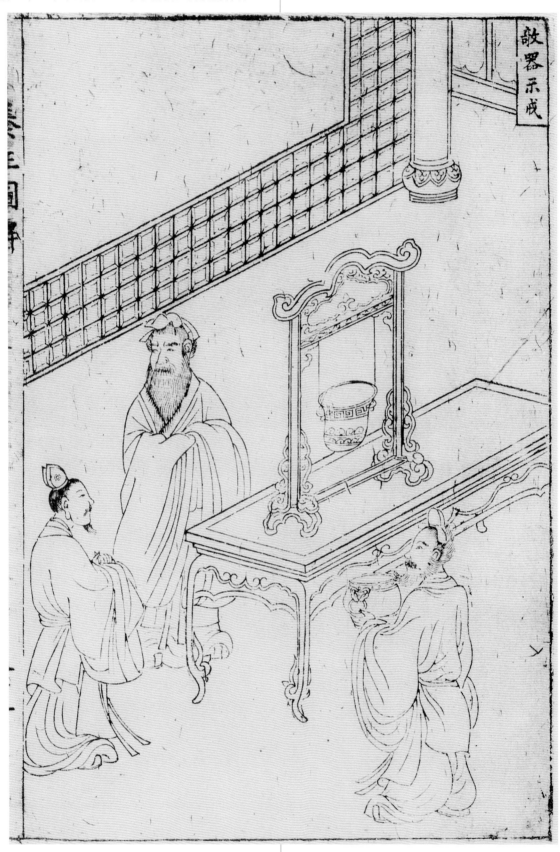

《琵琶記》插圖

明

明萬曆二十五年（公元1597年）新安汪氏玩虎軒刊
本。插圖雙頁連式。選一幅。
現藏中國國家圖書館。

明
（公元一三六八年至公元一六四四年）

《人鏡陽秋》插圖

明

明萬曆二十八年（公元1600年）環翠堂刊本。爲歷史故事
集，每一故事附一插圖，插圖雙頁連式。選一幅。
現藏上海圖書館。

《大備對宗》插圖

明

明萬曆二十八年（公元1600年）福建萃慶堂刊本。共

十九卷，卷首冠圖，插圖單頁方式。選一幅。
現藏中國國家圖書館。

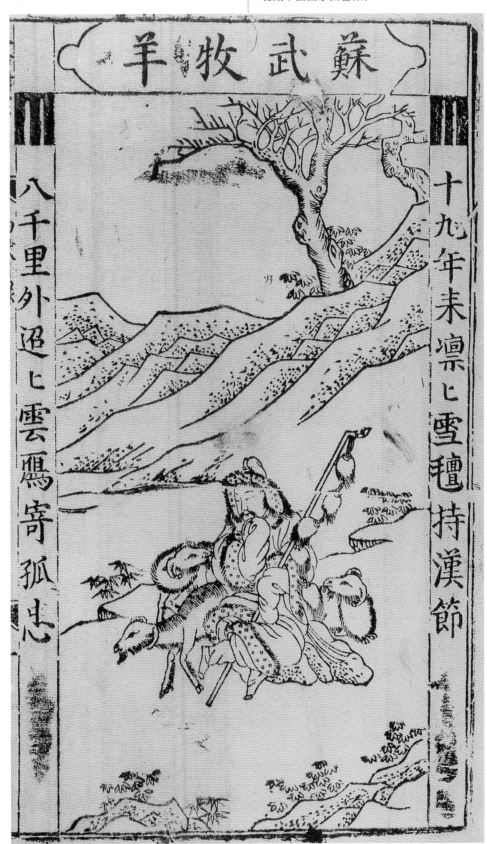

《紅拂記》插圖

明

明萬曆二十九年（公元1601年）金陵繼志齋刊本。插圖雙頁連式。選一幅。

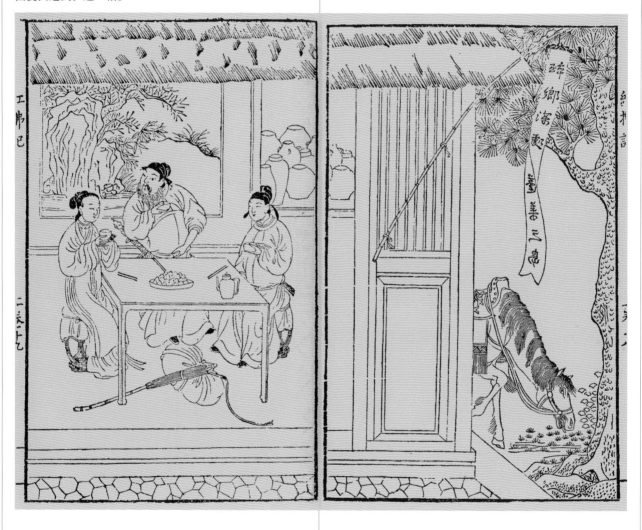

歷代名公畫譜

明

明萬曆三十一年（公元1603年）杭州雙桂堂刊本。

臨歷代名畫，自晉至明一百零六幅。選一幅。
現藏上海圖書館。

明（公元一三六八年至公元一六四四年）

《樂府先春》插圖

明

明萬曆三十三年（公元1605年）刊本。卷首冠圖八幅，
雙頁連式。選一幅。
現藏上海圖書館。

圖繪宗彝

明

明萬曆三十五年（公元1607年）金陵文林閣刊本。爲
畫集，圖有單頁方式和雙頁連式。選一幅。
現藏上海圖書館。

程氏竹譜

明

明萬曆三十六年（公元1608年）滋蘭館刊本。別名
《雪齋竹譜》，爲明代竹譜珍品。選一幅。

現藏中國國家圖書館。

三才圖會

明

明萬曆三十七年（公元1609年）刊本。《三才圖會》

分天文、地理、人物、時令、宮室、器用等十四門類，
堪稱百科圖譜。選一幅。
現藏上海復旦大學圖書館。

《坐隱先生精訂捷徑弈譜》插圖

明

明萬曆三十七年（公元1609年）環翠堂刊本。此圖爲
《弈譜》卷前附圖，六頁連式。選四頁。
現藏中國國家圖書館。

《海内奇觀》插圖

明

明萬曆三十八年（公元1610年）武林夷白堂刊本。敘記各省山川名勝。插圖有單頁方式、雙頁連式和多頁連式。選一幅。

現藏中國國家圖書館。

明（公元一三六八年至公元一六四四年）

《北西厢記》插圖

明

明萬曆三十八年（公元1610年）起鳳館刊本。插圖雙
頁連式。選一幅。
現藏上海圖書館。

詩餘畫譜
明
明萬曆四十年（公元1612年）新安汪氏刊本。

《詩餘畫譜》亦名《草堂詩餘意》。前圖後詞，單幅方式，共百幅，集唐宋詞百篇。選一幅。
現藏中國國家圖書館。

小瀛洲十老社會詩圖

明

明萬曆四十一年（公元1613年）海寧刊本。爲《小瀛
洲十老社詩集》卷前圖，十頁長連卷式。選四頁。
現藏中國國家圖書館。

《四聲猿》插圖

明

明萬曆四十二年（公元1614年）錢塘鍾氏刊本。卷首
冠圖，雙頁連式。選一幅。
現藏中國國家圖書館。

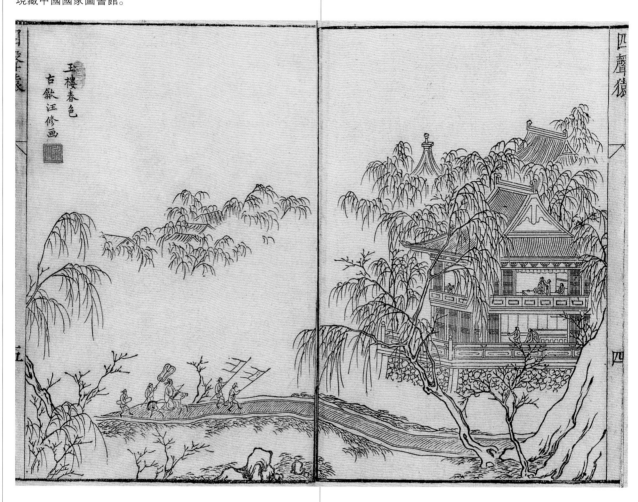

《元曲選》插圖

明

明萬曆四十三年（公元1615年）博古堂刊本。卷首冠圖，單頁方式。選一幅。

現藏中國國家圖書館。

《泰興王府畫法大成》插圖

明

明萬曆四十三年（公元1615年）刊本。《畫法大成》
爲講述繪畫技巧著作，插圖有單頁方式和雙頁連式。選
一幅。

《青樓韵語》插圖

明

明萬曆四十四年（公元1616年）刊本。插圖雙頁連式。

選一幅。

現藏中國國家圖書館。

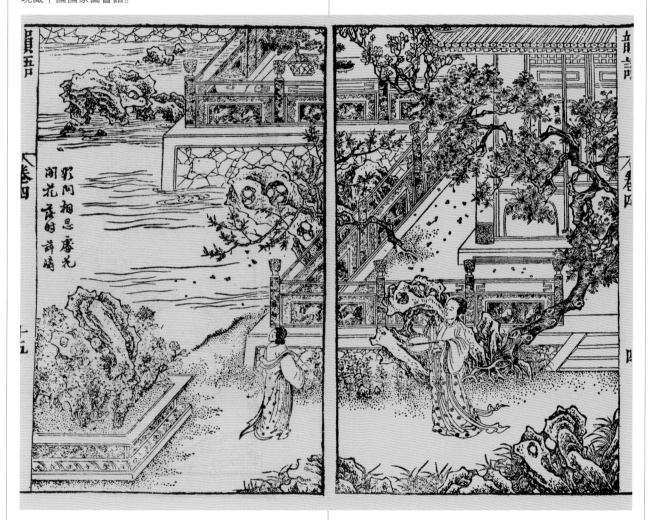

《牡丹亭還魂記》插圖

明

明萬曆四十五年（公元1617年）武林七峰草堂刊本。

插圖單頁方式。選一幅。

現藏中國國家圖書館。

《武夷志略》插圖

明

明萬曆四十七年（公元1619年）崇安孫世昌刊本。插
圖單頁方式和雙頁連式。選一幅。

現藏上海圖書館。

明（公元一三六八年至公元一六四四年）

環翠堂園景圖

明

明萬曆年間（公元1573－1620年）環翠堂汪氏刊本。表現環翠堂主人汪廷訥于南京所建園林景色。選二幅。

環翠堂園景圖之一

環翠堂園景圖之二

《寂光境》插圖

明
明萬曆年間（公元1573－1620年）刊本。述中外尊者

六十一人事迹，各繪圖像。選一幅。
現藏上海圖書館。

唐詩畫譜
明

明萬曆晚期集雅齋原刻，後世多有翻刻。前圖後文，圖
單頁方式。選一幅。

《古雜劇》插圖

明

明萬曆年間（公元1573－1620年）顧曲齋刊本。《古雜劇》收元雜劇二十種，每種插圖三幅或四幅，單頁方式。此選兩幅分別爲《望江亭中秋切鱠旦》和《李太白匹配金錢記》。

現藏中國國家圖書館。

《古雜劇》插圖 之一

《古雜劇》插圖 之二

《西廂記考》插圖

明

明萬曆年間（公元1573－1620年）刊本。插圖雙頁
連式。選一幅。

《大雅堂雜劇》插圖
明
明萬曆年間（公元1573–1620年）大雅堂汪氏刊本。
此書收《五湖游》、《高唐夢》、《洛神記》和《京洛記》四種雜劇，插圖雙頁連式。選一幅。
現藏上海圖書館。

《義烈記》插圖

明

明萬曆年間（公元1573–1620年）大雅堂汪氏《環翠堂樂府》刊本。插圖雙頁連式。選一幅。

《南琵琶記》插圖

明

明萬曆年間（公元1573-1620年）武林刊本。原題
《元本出相南琵琶記》，插圖雙頁連式。選一幅。
現藏上海復旦大學圖書館。

明（公元一三六八年至公元一六四四年）

《南柯夢記》插圖
明
明萬曆年間（公元1573–1620年）刊本。插圖單頁方式。
選一幅。

《香囊記》插圖

明

明萬曆年間（公元1573－1620年）金陵世德堂刊本。插

圖單頁方式。選一幅。

現藏中國國家圖書館。

《西廂記》插圖

明

明萬曆年間（公元1573–1620年）金陵喬山堂刊本。插圖單頁方式和雙頁連式。選一幅。現藏中國國家圖書館。

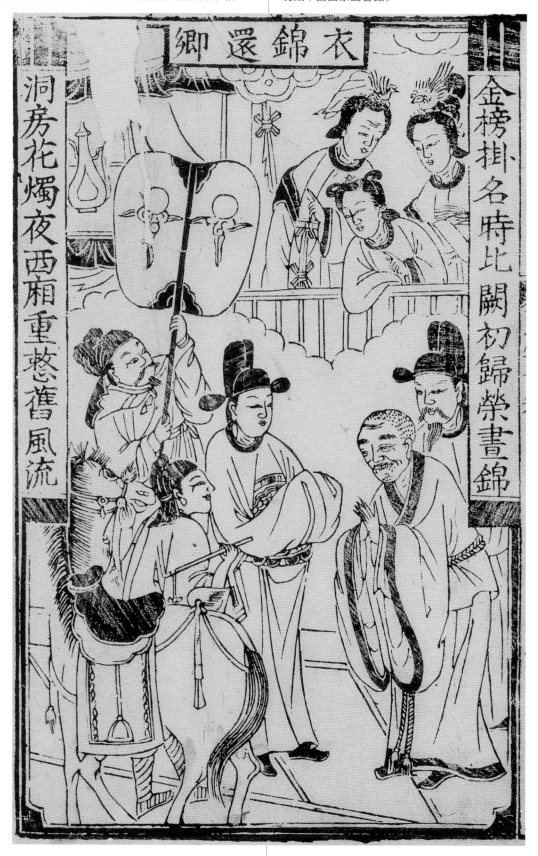

《南柯夢記》插圖

明

明萬曆年間（公元1573-1620年）金陵廣慶堂刊本。插圖雙頁連式。選一幅。

現藏中國國家圖書館。

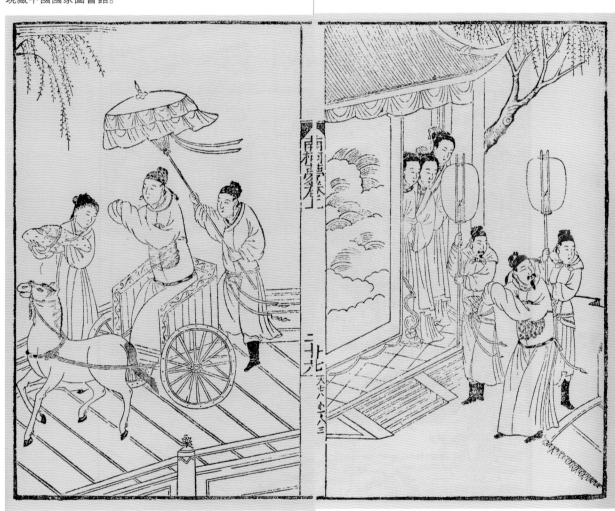

明（公元一三六八年至公元一六四四年）

《邯鄲夢記》插圖

明

明萬曆年間（公元1573–1620年）刊本。插圖單頁方式。
選一幅。

《忠義水滸傳》插圖

明

明萬曆年間（公元1573－1620年）武林容與堂刊本。原題

《李卓吾先生批評忠義水滸傳》，卷首冠圖爲單頁方式。
選一幅。
現藏日本。

《列女傳》插圖

明

明萬曆年間（公元1573–1620年）新安汪氏原刊，清
乾隆年間（公元1736–1796年）知不足齋重刊。插圖
雙頁連式。選二幅。

《程氏墨苑》插圖

明

明萬曆年間（公元1573－1620年）程氏滋蘭堂彩色印本。
所謂彩色印本是據墨綫板的物象，塗以近似色，印製

而成。此法雖不算成功，但爲後來發展"餖版"和"拱花"工藝做了有益的探索。選一幅。
現藏日本國會圖書館。

《花史》插圖

明

明萬曆年間（公元1573－1620年）彩色印本。彩色部

分用顏色在木版上塗刷上去，然後印製而成。選一幅。
現藏中國國家圖書館。

元明戲曲葉子

明

明萬曆晚期刊本。爲游戲紙牌，上文下圖。選二幅。

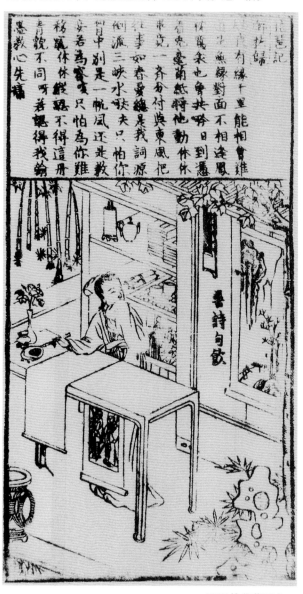

元明戲曲葉子之一

元明戲曲葉子之二

明（公元一三六八年至公元一六四四年）

《彩筆情辭》插圖
明
明天啓四年（公元1624年）刊本。插圖雙頁連式。選
一幅。
現藏上海圖書館。

蘿軒變古箋譜

明

明天啓六年（公元1626年）金陵吳發祥刊本。此書圖
畫按原畫的筆墨濃淡和設色製成相應印板，以水印印製
套色版畫。選二幅。

現藏日本。

《太霞新奏》插圖

明

明天啓七年（公元1627年）刊本。卷首冠圖，雙頁連式。

選一幅。

現藏中國國家圖書館。

《碧紗籠》插圖

明

明天啓七年（公元1627年）杭州刊本。插圖雙頁連式。

選一幅。

現藏上海圖書館。

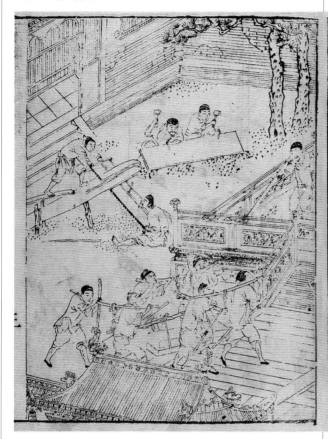

明（公元一三六八年至公元一六四四年）

十竹齋書畫譜

明

明天啓七年（公元1627年）胡正言十竹齋刊彩色套印本。分書畫譜、梅譜、蘭譜、竹譜、石譜、果譜、翎毛譜、墨花譜八種，每種二十幅。彩色套印，影響極大，爲我國版畫史上劃時代之作品。選一幅。
現藏中國國家圖書館。

《東西天目山志》插圖

明

明天啓年間（公元1621—1627年）刊本。此選爲《西
天目山志》之“玉柱孤撑”。

《琵琶記》插圖

明

明天啓年間（公元1621－1627年）凌氏朱墨套印本。

卷首冠圖，單頁方式，共二十幅。選一幅。

現藏中國國家圖書館。

《西廂五劇》插圖

明

明天啓年間（公元1621－1627年）吳興凌氏朱墨套印
本。卷首冠圖，單頁方式。選一幅。
現藏中國國家圖書館。

《董解元西厢》插圖

明

明天啓間（公元1621–1627年）吳興閔氏刊朱墨套印
本。插圖單頁方式。選一幅。
現藏上海圖書館。

《艷异編》插圖
明
明天啓年間（公元1621－1627年）吳興閔氏刊朱墨套

印本。卷首冠圖，單頁方式。選一幅。
現藏上海圖書館。

《古今小說》插圖

明

明天啟年間（公元1621－1627年）金陵兼善堂刊本。

插圖單頁方式。選一幅。

集雅齋畫譜

明

明天啓年間（公元1621-1627年）集雅齋刊本。別稱

《黄氏畫譜》，共八種，分別爲《名公扇譜》、《古今畫譜》、《梅蘭竹菊四譜》、《木本花鳥譜》、《草木花鳥譜》及《唐詩畫譜》三種。選一幅。

《盛明雜劇》插圖

明

明崇禎二年（公元1629年）刊本。插圖單頁方式。選一幅。

現藏中國國家圖書館。

《隋煬帝艷史》插圖

明

明崇禎四年（公元1631年）人瑞堂刊本。卷首冠圖，
單頁方式。選一幅。

明（公元一三六八年至公元一六四四年）

聖賢像贊

明

明崇禎五年（公元1632年）刊本。每人一圖一傳數
贊，圖像單頁方式。選一幅。
現藏中國國家圖書館。

《天下名山勝概記》插圖

明

明崇禎六年（公元1633年）墨繪齋摹刻本。插圖雙頁
連式。選一幅。
現藏上海圖書館。

《春燈謎記》插圖

明

明崇禎六年（公元1633年）刊本。卷首冠圖，單頁方式。

選一幅。

現藏中國國家圖書館。

《柳枝集》插圖

明

明崇禎六年（公元1633年）孟稱舜刊《古今名劇合
選》本。卷首冠圖，單頁方式。選一幅。

明
（公元一三六八年至公元一六四四年）

《鴛鴦絛》插圖

明

明崇禎八年（公元1635年）刊本。卷首冠圖，插圖單
頁方式和雙頁連式。選一幅。
現藏中國國家圖書館。

《天工開物》插圖

明

明崇禎十年（公元1637年）宋應星初刊本。插圖單頁
方式和雙頁連式。選一幅。
現藏中國國家圖書館。

九歌圖

明

明崇禎十年（公元1637年）蕭山來氏刊本。爲《楚辭

述注》的插圖，陳洪綬繪。圖畫單頁方式。選一幅。
現藏上海圖書館。

《吳騷合編》插圖

明

明崇禎十年（公元1637年）刊本。插圖雙頁連式。選
一幅。

現藏江蘇省蘇州圖書館。

《北西厢秘本》插圖

明

明崇禎十二年（公元1639年）刊本。卷首冠圖，雙頁
連式，陳洪綬繪。選三幅。

《北西厢秘本》插圖之一

《北西厢秘本》插图之二

明（公元一三六八年至公元一六四四年）

《北西厢秘本》插圖之三

《農政全書》插圖
明
　明崇禎十二年（公元1639年）平露堂刊本。插圖單頁
方式。選一幅。

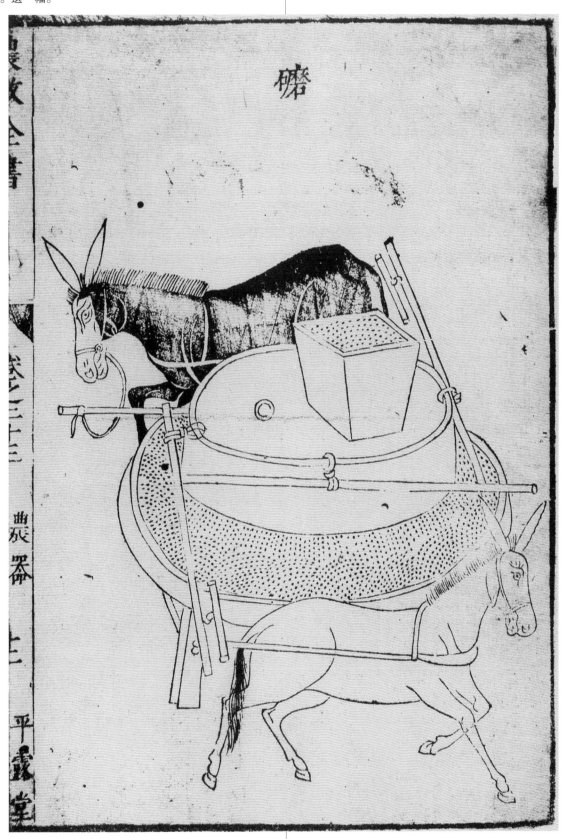

明（公元一三六八年至公元一六四四年）

《嬌紅記》插圖

明

明崇禎十二年（公元1639年）刊本。卷首冠綉像二

幅，陳洪綬繪。選一幅。

現藏中國國家圖書館。

十竹齋箋譜初集

明

明崇禎十七年（公元1644年）十竹齋彩色套印本。胡
正言編輯。以餖板、拱花工藝彩色套印。選二幅。
現藏上海博物館。

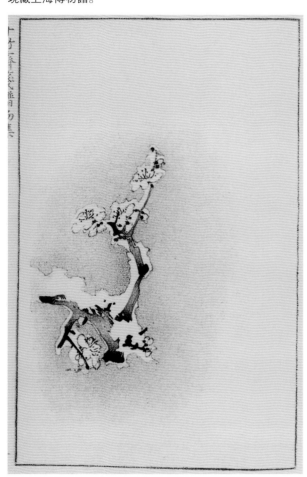

十竹齋箋譜初集之一

十竹齋箋譜初集之二

《北西厢記》插圖

明

明崇禎年間（公元1628–1644年）山陰李氏延閣刊本。

卷首冠圖，單頁方式。此幅"鶯鶯像"爲陳洪綬繪。現藏中國國家圖書館。

《宣和遺事》插圖

明

明崇禎年間（公元1628–1644年）刊本。插圖雙頁連式。

選一幅。

現藏中國科學院圖書館。

網羅未復禽先逝

橡寧錄張虎已藏

明（公元一三六八年至公元一六四四年）

《忠義水滸全傳》插圖

明

明崇禎年間（公元1628–1644年）三多齋刊本。卷首
冠圖，插圖單頁方式。選一幅。

《金瓶梅》插圖

明

明崇禎年間（公元1628－1644年）刊本。卷首冠圖，
插圖單頁方式。選一幅。

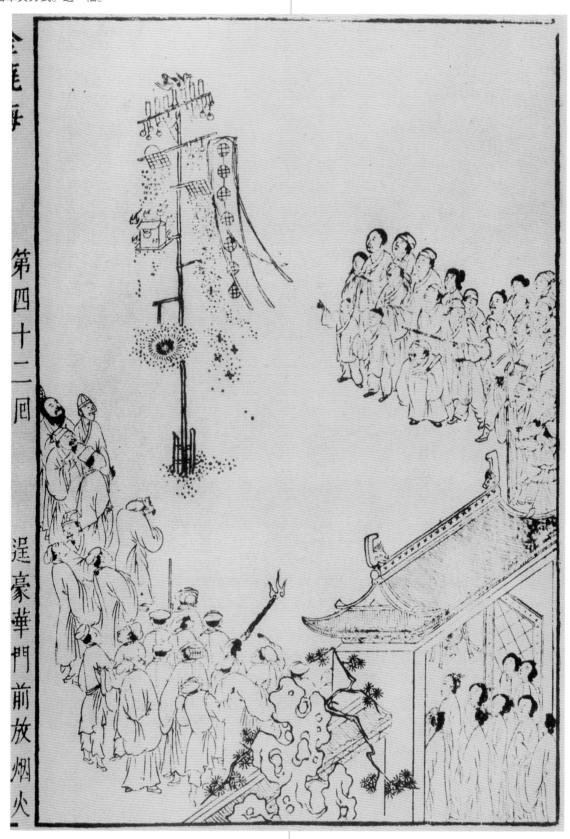

《西湖二集》插圖

明

明崇禎年間（公元1628-1644年）聚錦堂刊本。插圖

單頁方式。選一幅。
現藏中國國家圖書館。

《清夜鐘》插圖
明

明崇禎年間（公元1628-1644年）刊本。插圖單頁方式。
選一幅。

明（公元一三六八年至公元一六六四年）

《燕子箋》插圖

明

明崇禎年間（公元1628–1644年）刊本。插圖單頁方式。
選一幅。

水滸葉子
明
明崇禎年間（公元1628–1644年）刊本。
葉子即葉子格戲，爲一種紙牌之戲，類似酒牌之類。此
葉子爲陳洪綬繪。選二幅。

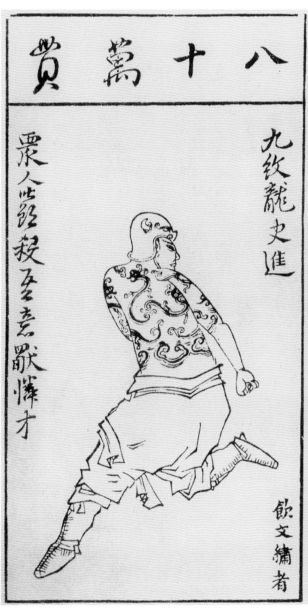

離騷圖
清

清順治二年（公元1645年）刊本。共六十四圖，主要爲

屈原《天問》内容。著名畫家蕭雲從繪。選二幅。
現藏上海圖書館。

離騷圖之一

離騷圖之二

太平山水圖畫
清

清順治五年（公元1648年）刊本。共四十三圖，雙頁
連式。著名畫家蕭雲從繪。選二幅。

太平山水圖畫之一

太平山水圖畫之二

博古葉子

清

清順治十年（公元1653年）刊本。此葉子爲陳洪綬晚
年之作，繪古代人物一百四十餘人。選二幅。

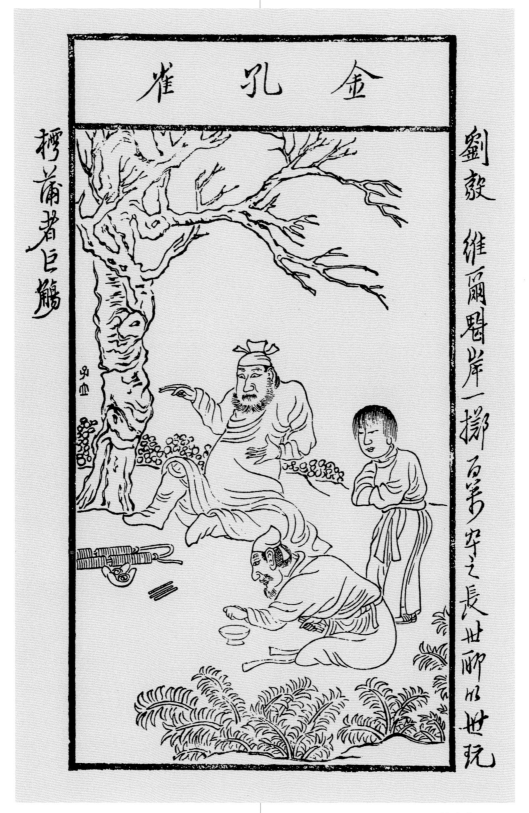

博古葉子之一

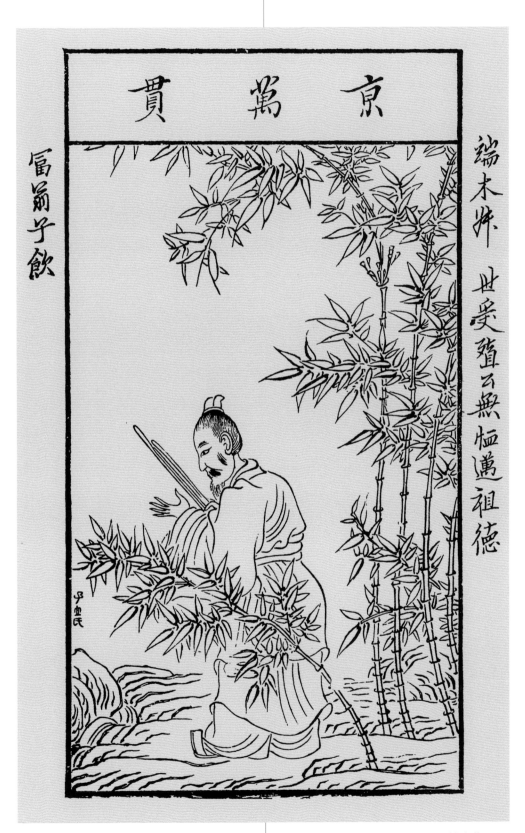

博古叶子之二

《占花魁》插圖

清

清順治年間（公元1644-1661年）刊本。插圖單頁
圓形。選一幅。

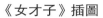

《女才子》插圖

清

清順治年間（公元1644–1661年）原刊本。十二卷，
卷首冠圖，單頁方式。選一幅。
現藏遼寧省大連市圖書館。

清（公元一六四四年至公元一九一一年）

《豆棚閒話》插圖

清

清順治年間（公元1644－1661年）刊本。插圖單頁方
式和雙頁連式。選一幅。

凌烟閣功臣圖
清
清康熙七年（公元
1668年）蘇州柱
笏堂刊本。每人一
圖，并題人名傳
略。選一幅。

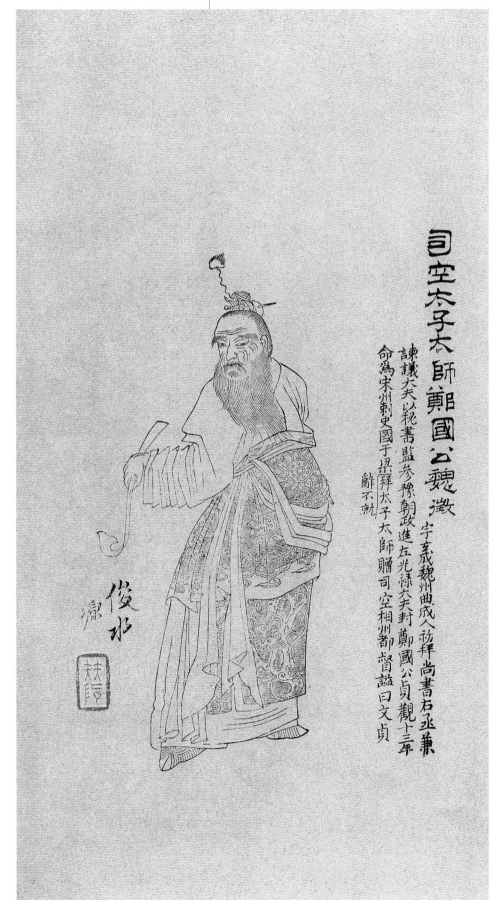

司空太子太師鄭國公魏徵

諫議大夫以秘書監參豫朝政進左光祿大夫封鄭國公貞觀十三年　宇玄成魏州曲成人礽拜尚書右丞兼

命爲宋州剌史國于梁拜太子太師贈司空相州都督諡曰文貞

辭不就

息影軒畫譜

清

清康熙十二年（公元1673年）梁清標刊本。著名畫家
崔子忠畫，共計四十三圖。選一幅。

《西湖佳話》插圖

清

清康熙十二年（公元1673年）金陵王衙刊彩色套印
本。插圖單頁方式，彩色套印。選一幅。
現藏中國國家圖書館。

芥子園畫傳初集

清

《芥子園畫傳》有初、二、三集。初集刊于清康熙十八
年（公元1679年），共五卷，主要爲山水畫。二集和
三集刊于康熙四十年（公元1701年），共十二卷，增
補花鳥和草蟲畫。圖單頁方式和雙頁連式。選二幅。

芥子園畫傳初集之一

芥子園畫傳初集之二

《黃山志定本》插圖

清

清康熙十八年（公元1679年）刊本。卷首冠圖，雙頁
連式。選二幅。

現藏上海圖書館。

《聖諭像解》插圖

清

清康熙二十年（公元1681年）承宣堂刊本。繪歷史故事，配圖解，共二百六十圖，圖爲單頁方式。選一幅。現藏上海復旦大學圖書館。

《懷嵩堂贈言》插圖

清

清康熙二十四年（公元1685年）刊本。繪嵩山風景。

圖多頁連式。所選爲局部。

現藏中國國家圖書館。

《杏花村志》插圖

清

清康熙二十四年（公元1685年）聚星樓刊本。繪"杏
村十二景"，單頁方式。選一幅。
現藏浙江省寧波天一閣。

《揚州夢》插圖
清
清康熙三十八年（公元1699年）啓賢堂刊本。插圖單
頁方式。選一幅。
現藏上海圖書館。

耕織圖

清

清康熙三十五年（公元1696年）內府銅版印本。焦秉貞繪。選二幅。

現藏中國國家圖書館。

耕織圖之一

浸種
溪頭夜雨足門外
春水生筥籃浸淺
碧嘉穀抽新萌西
疇將有事未耜隨
晨興雙雞祭勾芒
再拜祈秋成

暄和苦
俟肇農
功自生
勤勞變
廈同早
搰束田
穜種種
寰裳沛
水浸筥
笯

芥子園畫傳二集

清

清康熙四十年（公元1701年）套印本。選二幅。

芥子園畫傳二集之一

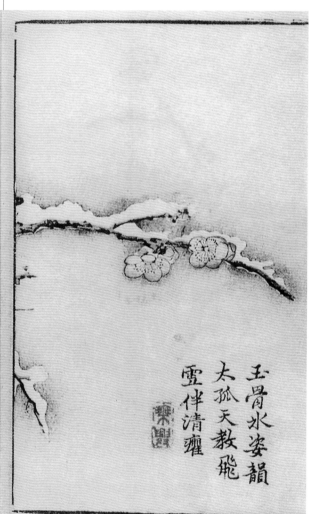

玉骨氷姿韻
太孤天教飛
雪伴清癯

芥子園畫傳二集之二

萬壽盛典圖

清

清康熙五十二年（公元1713年）内府刊本。《萬壽盛典》共一百二十卷，爲康熙帝六十壽誕之文獻記録，其中四十一卷及四十二卷爲插圖，共一百四十八幅，連續繪刻，展開看爲巨幅長卷，繪者爲著名畫家宋駿業和王原祁等。所選爲局部。

現藏中國國家圖書館。

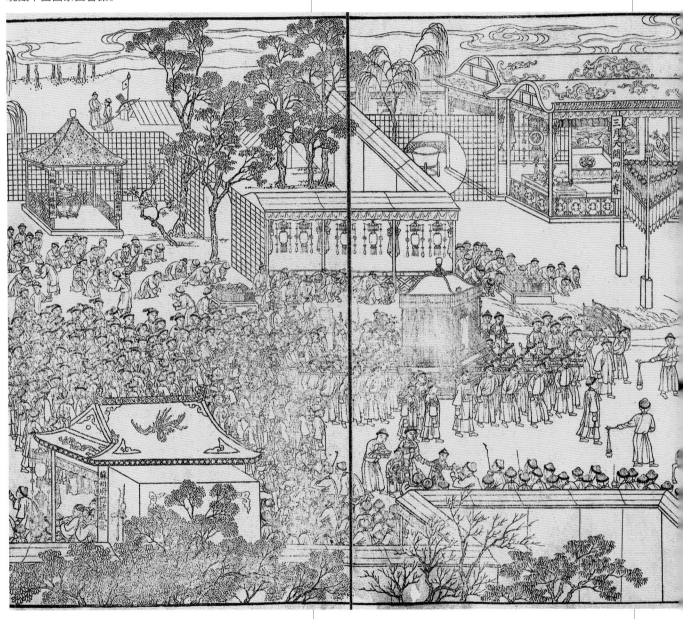

避暑山莊三十六景詩圖

清

清康熙五十年（公元1711年）內府刊滿文本。康熙皇
帝撰詩，畫家據詩意補圖，共三十六幅。選一幅。

《西江志》插圖

清

清康熙五十九年（公元1720年）刊本。西江即江西南
昌。《西江志》插圖二十幅，雙頁連式。選一幅。
現藏中國國家圖書館。

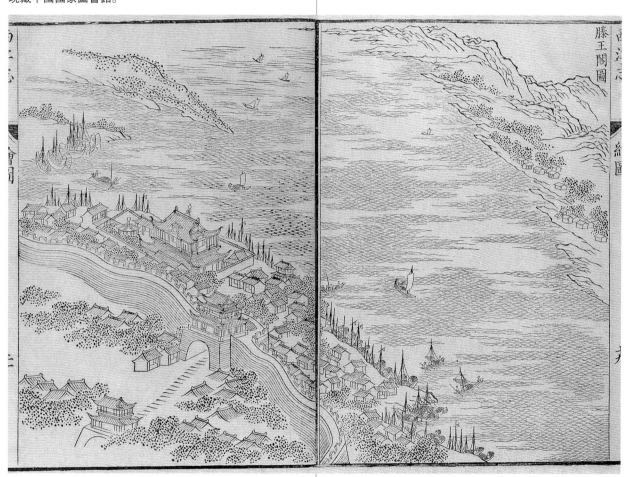

【 版 畫 】

清（公元一六四四年至公元一九一一年）

慈容五十三現

清

清康熙年間（公元1662—1722年）戴王瀛刊本。繪觀
世音菩薩幻形變世的種種圖像。選一幅。
現藏中國國家圖書館。

慈容一現 食訖 跏趺坐石牀斗間間氣 燭天光 發多業 識莁莁者衲被 蒙頭在 醉鄉

《秦樓月》插圖

清

清康熙年間（公元1662–1722年）文喜堂刊本。卷首
冠圖，單頁方式。選一幅。
現藏中國國家圖書館。

《靈隱寺志》插圖

清

清康熙年間（公元1662–1722年）刊本。插圖雙頁連式。
選一幅。

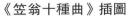

《笠翁十種曲》插圖
清
清康熙年間（公元1662-1722年）金陵翼聖堂重印
本。此選爲《憐香伴》插圖。

《古今圖書集成》插圖

清

清雍正四年（公元1726年）内府銅活字排印本。插圖
爲木版版畫，有單頁方式和雙頁連式。選一幅。
現藏故宮博物院。

明太祖功臣圖

清

清乾隆六年（公元1741年）《晚笑堂畫傳》附刊本。

繪明初功臣，每人一圖一傳，圖單頁方式。選一幅。

中山王徐達

武寧王疾亟太祖幸其第至榻前問之占二句曰聞說君王鑾駕來一花
未謝百花開益諷待用英賢之衆戀主之思乎執聖手不放上曰卿欲朕
緊掌山河達就榻上叩頭勉主之忠乎嗚呼君臣始終兩得之矣

晚笑堂畫傳

清

清乾隆八年（公元1743年）刊本。人物一圖一贊一傳。
選一幅。

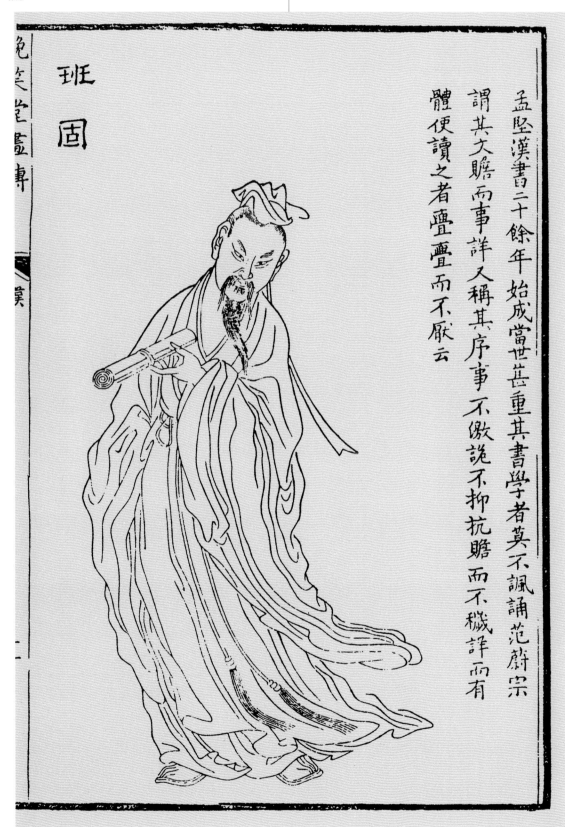

圓明園四十景詩圖

清

清乾隆十年（公元1745年）武英殿刊本。爲圓明園的
景物寫生圖，共四十幅。選一幅。

古歙山川圖

清

清乾隆二十二年（公元1757年）刊本。圖雙頁連式，
先刻版刷印，略施淡彩。選一幅。
現藏浙江省圖書館。

平山堂圖志

清

清乾隆三十年（公元1765年）刊本。圖爲多頁連式，
共六十七頁。所選爲局部。
現藏江蘇省揚州博物館。

《墨法集要》插圖

清

清乾隆四十年（公元1775年）武英殿刊本。此書述油
烟製墨法，各道工藝皆以圖釋。選一幅。

《武英殿聚珍版程式》插圖

清

清乾隆四十一年（公元1776年）刊。此書述武英殿木
活字印書的流程及造活字法，皆以圖釋。選一幅。

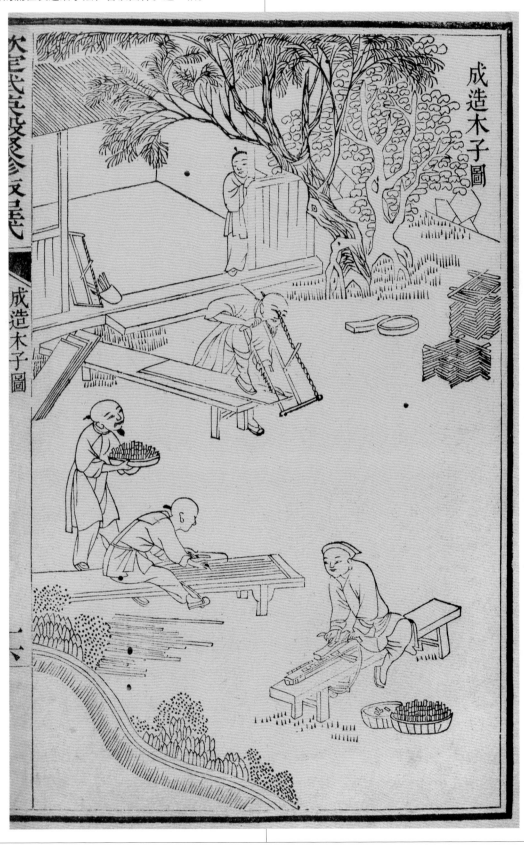

《紅樓夢》插圖

清

清乾隆五十六年（公元1791年）程氏萃文書屋第一次
木活字印本。卷首冠二十四幅圖，單頁方式。選一幅。

契紙
清
清乾隆中期（約公元1767年之前）徽州桂芳齋刊本。

"契紙"是清乾隆時期民間雕印的一種"花紙"，采用墨綫版套彩色印法。
現藏安徽省博物館。

《授衣廣訓》插圖

清

清嘉慶十三年（公元1808年）內府刊本。此書述桑棉
和織衣之事。選一幅。

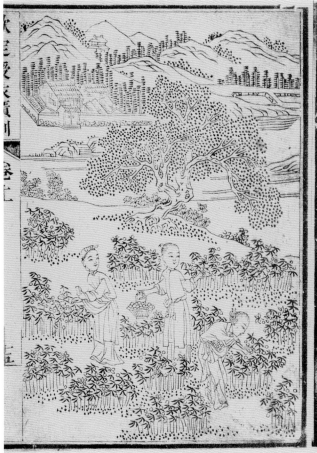

悟香亭畫稿

清

清道光十八年（公元1838年）刊本。爲畫家劉恬的畫
稿，圖雙頁連式。選一幅。

【 版 畫 】

清　（公元一六四四年至公元一九一一年）

陰騭文圖證

清

清道光二十四年（公元1844年）蔣氏別下齋刊本。插圖八十七幅，費丹旭繪。選一幅。

陰騭文圖證

帝君曰吾一十七世爲士大夫身

一　別下齋刊本

練川名人畫像

清

清道光二十八年（公元1848年）嘉定程氏陝南草堂刊
本。人物前圖後傳。選一幅。

列仙酒牌

清

清咸豐四年（公元1854年）刊本。任熊繪。選二幅。

於越先賢像傳贊

清

清咸豐七年（公元1857年）蕭山王氏養和堂刊本。

集越地高行節義之人傳贊并畫像，計八十幅。任熊繪。

選一幅。

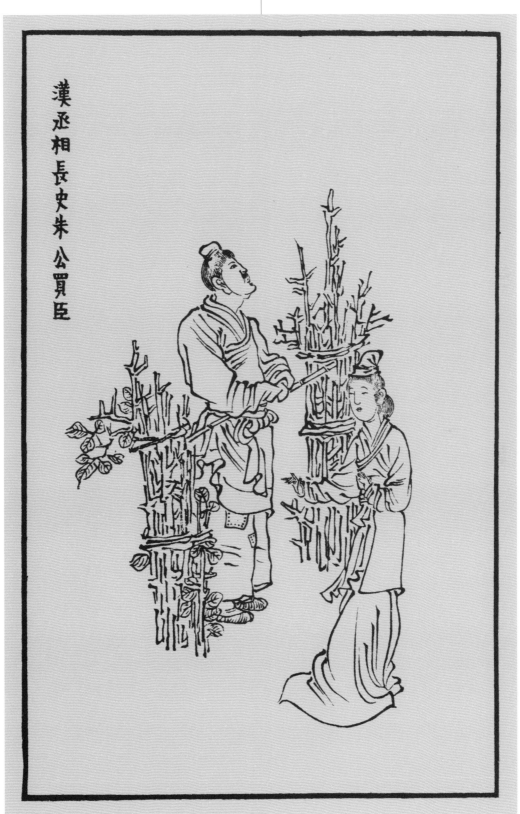

漢丞相長史朱公買臣

《高士傳》插圖

清

清咸豐七年（公元1857年）蕭山王氏養和堂刊本。每
人一圖一傳，圖單頁方式。任熊繪。選一幅。

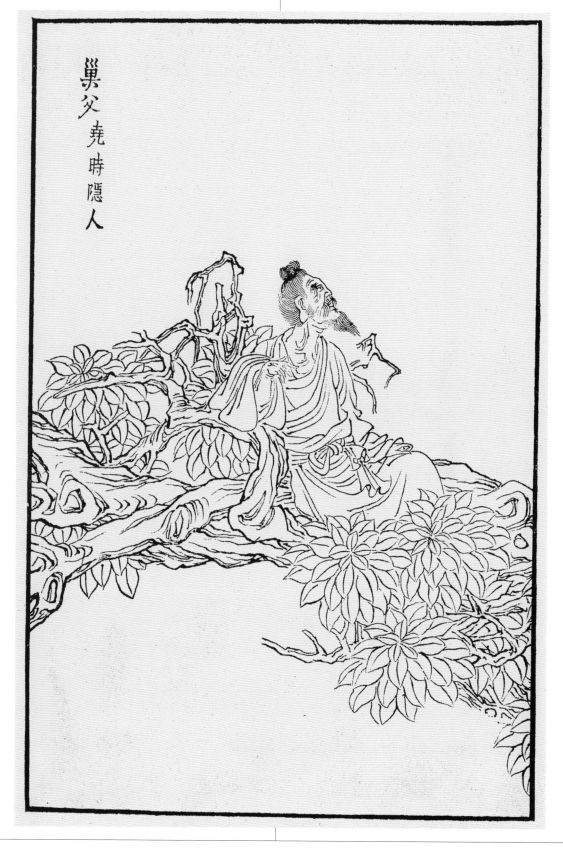

夢幻居畫學簡明

清

清同治五年（公元1866年）聚賢堂刊彩色套印本。圖單頁方式和雙頁連式，彩色套印。選一幅。

清（公元一六四四年至公元一九一一年）

東軒吟社畫像

清

清光緒二年（公元1876年）汪氏振綺堂刻本。

原題《東軒吟社畫像記傳》，費丹旭繪，圖中後立者即費丹旭。選一幅。

紅樓夢圖咏
清

清光緒五年（公元1879年）浙江楊氏文元堂刊本。改琦繪。選一幅。

百花詩箋譜

清

清宣统三年（公元1911年）天津文美斋刊彩色套印本。

爲晚清箋譜佳作。

年　表

（紅色字體爲本卷涉及時代）

新石器時代（公元前8000年 – 公元前2000年）

夏（公元前21世紀 – 公元前16世紀）

商（公元前16世紀 – 公元前11世紀）

西周（公元前11世紀 – 公元前771年）

春秋（公元前770年 – 公元前476年）

戰國（公元前475年 – 公元前221年）

秦（公元前221年 – 公元前207年）

漢（公元前206年 – 公元220年）

三國（公元220年 – 公元265年）

西晉（公元265年 – 公元316年）

十六國（公元304年 – 公元439年）

東晉（公元317年 – 公元420年）

北朝（公元386年 – 公元581年）

南朝（公元420年 – 公元589年）

隋（公元581年 – 公元618年）

唐（公元618年 – 公元907年）

五代十國（公元907年 – 公元960年）

遼（公元916年 – 公元1125年）

宋（公元960年 – 公元1279年）
北宋（公元960年 – 公元1127年）
南宋（公元1127年 – 公元1279年）

西夏（公元1038年 – 公元1227年）

金（公元1115年 – 公元1234年）

元（公元1271年 – 公元1368年）

明（公元1368年 – 公元1644年）

清（公元1644年 – 公元1911年）